最能打动孩子心灵的
世界经典童话

骑鹅旅行记
QI E LÜ XING JI

〔瑞典〕塞尔玛·拉格洛夫◎著

杜巧阁◎译　　赤卧◎绘

中国少年儿童新闻出版总社
中国少年儿童出版社
（北京）

骑鹅旅行记
QI E LÜ XING JI

图书在版编目（CIP）数据

骑鹅旅行记/（瑞典）拉格洛夫（Lagerlof，S. O. L）
著；杜巧阁译. —北京：中国少年儿童出版社，2010.5
（2011.11 重印）
（最能打动孩子心灵的世界经典童话）
ISBN 978 – 7 – 5007 – 9717 – 3

Ⅰ.①骑…　Ⅱ.①拉…　②杜…　Ⅲ.①童话 – 瑞典 –
近代　Ⅳ.①I532.88

中国版本图书馆 CIP 数据核字（2010）第 048860 号

QI E LÜXING JI
（最能打动孩子心灵的世界经典童话）

出 版 发 行：中国少年儿童新闻出版总社
中国少年儿童出版社
出 版 人：李学谦
执行出版人：赵恒峰

主　　编：谭旭东	责任校对：赵聪兰
责任编辑：缪 惟 董 慧	美术编辑：缪 惟
助理编辑：金银銮	责任印务：杨顺利

社　　址：北京市朝阳区建国门外大街丙 12 号楼　　　邮政编码：100022
总 编 室：010-57526071　　　　　　　传　　真：010-57526075
发 行 部：010-57526568
h t t p：//www. ccppg. com. cn
E-mail：zbs@ ccppg. com. cn

印刷：北京友谊印刷有限公司

开本：889×1194　　1/16　　　　　　　　　　　印张：9
2010 年 5 月第 1 版　　　　　2011 年 11 月北京第 3 次印刷
字数：120 千字　　　　　　　　　　　印数：17001—25200 册
ISBN 978 – 7 – 5007 – 9717 – 3　　　　　　定价：25.00 元

图书若有印装问题，请随时向印务部(010 – 57526539)退换。

收获勇敢、爱与智慧的旅行

——译者序

　　这部作品是瑞典女作家塞尔玛·拉格洛夫（1858—1940）的代表作。拉格洛夫出生于瑞典韦姆兰省的一个小庄园，3岁左右时双腿完全麻痹不能行动。从此以后她就坐在椅子上听祖母讲述有关古老庄园的传说和故事，7岁以后她开始大量阅读书籍。祖母的故事和阅读的快乐不仅给她病残的身体带来了莫大的精神安慰，也滋养成就了世界文学史上第一个获得诺贝尔文学奖的女作家。

　　拉格洛夫经过超常的努力考入瑞典皇家女子师范学院，毕业后在一所女子学校担任历史、地理教师，同时还利用业余时间进行写作。出版了几部小说后，拉格洛夫辞去了教师一职，全心致力于文学创作，著有多部短篇小说、长篇游记和儿童文学作品。她一直希望写一部适合孩子们阅读的作品，让他们通过有趣的故事了解祖国的历史和地理，为此她曾跋山涉水到瑞典全国各地考察。这一愿望终于实现了。1906至1907年间，她全力创作的地理教育读物——长篇童话《骑鹅旅行记》，最终作为瑞典小学生教科书而出版。这部作品的问世不仅为作者赢得了瑞典国内文坛巨匠的声誉，同时也为作者荣获1909年诺贝尔文学奖奠定了基础。

　　这部童话的主人公尼尔斯·豪格尔森，是瑞典南部乡村西威门豪格的一个14岁男孩。他的父母是善良勤劳的穷苦农民，但是尼尔斯生性顽皮淘气、粗野冷漠而又懒惰孤僻。他不爱学习，专爱搞恶作剧，经常欺负家里的动物。对待父母，他也没有一点儿关爱之心，非常不懂事。妈妈挤牛奶时他抽走奶桶，妈妈提着奶桶走过时他用纱网罩住她，气得妈妈多次流眼泪；有时把爸爸或妈妈关进地窖里，急得他们团团转。

　　初春的一天，尼尔斯的父母到教堂做礼拜去了，他在家里因为捉弄一个小精灵，而惹恼了小精灵，被他变成了一个拇指大小的小人儿。尼尔斯在家里早已引起了公愤，所以被变成小人儿后，动物们对他的遭遇幸灾乐祸并群起而攻之，鸡和鹅都说他活该，猫要咬断他的喉咙，奶牛们直叫好。就在这时，一群大雁从空中飞过，家中的雄鹅莫腾禁不住诱惑，展翅高飞，尼尔斯为了不让雄鹅飞走，紧紧抱住雄鹅的脖子，惊慌失措之中被带上高空。从此，他骑在鹅背上，跟随大雁们走南闯北，周游全国各地，饱览了祖国的山山水水、旖旎风光，学习了祖国的地理历史文化，聆听了许多故事传说，也品尝了人世间的酸甜苦辣。在漫游和磨难中，他从旅伴和其他动物身上学到了不少优点，逐渐去掉了以往的种种劣迹，培养了舍己为人、见义勇为、助人为乐的优秀品德，从家里的一匹害群之马脱胎换骨为一名动物世界的小英雄，最终成为一个温文尔雅、机智勇敢、吃苦耐劳、善良诚实以及懂得团结合作的充满爱心的男孩。

人与自然的和谐是人类幸福的根本。如今品读这部巨著，字里行间依然洋溢着我们当代的主旋律。和谐不是一句空话，需要人们的共同努力，自然界里所有的生命都是平等的，任何人都没有权利剥夺、轻视和愚弄任何一个生命，人类的一切行为都要遵循自然规律，尊重大自然的选择，否则，必然自食其果。小男孩尼尔斯在骑鹅周游祖国各地时深深地领悟到这个道理。作品以拟人手法为基调，并配以大量形象而生动的比喻，把想象同现实交织在一起，把人和拟人化的动植物有机地结合在一起，充满情趣，使作品极为生动浪漫并富于神奇色彩。作品在描绘瑞典美丽迷人的自然风光中，再现了北欧文化的神奇魅力；在讲述一个孩子的成长过程中，讴歌了宽厚、仁慈、互助的人类理想。真不愧是一本内容丰富多彩，形式生动有趣，融地理、历史、自然与思想品德为一体的百科全书。不说了，精彩片断多着呢！自己慢慢欣赏吧。

这部童话已被译成各种文字，摄制成电影，改编为卡通片，并成为画家创作的艺术源泉，不愧为世界童话史上的一部难以逾越的经典。重新翻译这么一部畅销百年的鸿篇巨制，诚惶诚恐之情不言而喻。时至落笔之际，囿于本人翻译理论与实践上的欠缺，译文虽然几经易稿，仍有不尽如人意之处，恳请诸位读者不吝赐教。同时，借此机会，向对本书的翻译予以热情帮助的家人朋友们，以及予以大力支持的河南工业大学（校科研基金资助项目 050335）致以诚挚的谢意。

目 录

男孩尼尔斯

小 精 灵

三月二十日 星期日

　　从前有个男孩，大概十四岁，瘦高个儿。他调皮捣蛋，特别爱搞恶作剧。

　　一个星期天的早晨，尼尔斯的爸爸妈妈收拾停当，准备到教堂去做礼拜。尼尔斯穿件衬衫，坐在桌子旁边，心想：太好了！爸爸妈妈都要出门，一两个小时内不会有人管我了。"好极了！他们走后我可以把爸爸的鸟枪拿下来放一枪。"他自言自语道。

　　不过，爸爸好像猜着了他的心思，因为他一脚迈过门槛正要出去时，却突然停下来，转过身面向男孩，"既然你不愿意跟我和妈妈一起去教堂，你起码要在家里读一读讲章①，能做到吗？"

　　"做得到，小事一桩。"男孩答应说，心里却想，反正我想读多少就读多少。

　　男孩觉得他从来没有见妈妈的动作这么快过。眨眼间她已经走到壁炉旁的书架跟前，取下《路德集注》，把它放在窗前的桌子上，并翻到要他当天读的那一章。她还把《福音书》翻开，放在《路德集注》旁边。最后，她又把那把太师椅拉到桌子边。那把太师椅是她去年从教区拍卖场上买来的，平时除了爸爸之外谁也不准坐的。

　　男孩坐在那里心想，妈妈这样做实在是瞎忙活，因为他打算顶多念上一两页。可是，这一次爸爸好像又看透了他的心思。他走到男孩面前，严厉地说："记住，你要认认真真地读！等我们回家，我要好好地考考你。你要是跳过一页不读，那对你不会有什么好处的！"

　　"这一章总共有十四页半，"妈妈不放心地嘱咐着，"要想完成任务，你必须坐下来马上开始读。"

---

　　① 讲章：指路德派基督教经书《路德集注》中的一章。祈祷时每星期读一章，故称"讲章"。

他们总算走了。男孩站在门口看着他们远去的时候，觉得自己好像掉进了陷阱一样。"他们走了，我想他们肯定为灵机一动想出了这么个高招扬扬得意，这样，他们不在家的这段时间里我就不得不坐在这里老老实实地读讲章。"

其实，爸爸和妈妈走时并不是像他想象的那样心满意足的，恰恰相反，他们非常苦恼。他们是穷苦人家，全部的土地比一个菜园子大不了多少。刚搬来时，这片地只能养得起一头猪和两三只鸡。不过，他们特别勤劳能干，如今已喂养了奶牛和鹅群，家境已经大大地好转了。如果不是这个儿子叫他们操心费神，在这么明媚的早晨，他们本来是可以高高兴兴地到教堂去的。爸爸埋怨他迟钝懒惰，在学校里啥都不愿学，说他是个无用的人，连让他去放鹅都不放心。妈妈也只能承认这些是事实，不过她最烦恼的还是他的粗野顽皮，对动物那么凶狠，对人也不怀好意。"愿上帝感化他的铁石心肠，改变他的性情！"妈妈祈祷着，"不然的话，他不但会毁了自己，也会给我们带来不幸。"

男孩呆呆地站了好长时间，掂量着读还是不读讲章。最后终于拿定主意，这一次最好还是听话。于是，他坐到太师椅上开始读了起来。他有气无力、叽里咕噜地念了一会儿，那半高不高的喃喃声就好像催眠曲一样，他开始迷迷糊糊打起盹儿来。

外面的天气多好啊！虽然才三月二十日，可是由于男孩家住在斯康耐省南部的西威门豪格教区，那里早已春意融融。树木虽然还没有长出绿叶，但是已经吐出嫩芽，散发着春天的气息。沟渠里冰雪消融，积满了水，岸边的迎春花含苞待放。长在石头围墙上的矮小灌木也都泛出了亮晶晶的棕红色。远处的山毛榉树林好像每时每刻都在膨胀，变得更加茂密。天空辽阔蔚蓝，一望无垠。房门半开半掩着，在屋里就能听见云雀在歌唱。鸡鹅在院子里踱来踱去。奶牛也嗅到了飘进牛棚里的春天的气息，不时地哞哞欢叫着。

男孩一边念着，一边点头打盹儿，一边挣扎着不睡。"不行！我可不愿意睡着，"他想，"要不然，我整个上午都念不完。"

然而，他还是呼呼地睡着了。

不知睡了多长时间，他被身后窸窸窣窣的轻微响声惊醒了。

男孩面前的窗台上放着一面小镜子，镜面正对着他。从镜子里几乎能看见屋里的所有东西。他一抬头，正好朝镜子里看。这时他看见，妈妈的大衣箱的盖子被打开了。

妈妈有一个又大又重、铁皮包裹的栎木衣箱，除了她自己，别人都不许打开。里面收藏着她从外婆那里继承的所有遗物和她特别珍爱的所有东西。这里面有两三件过时的农家妇女穿的裙子，是用红色的粗布做的，上身又短又紧，下边是打着褶的裙子，胸前还缀着许多小珠子。那里面还有浆好的白头巾、沉甸甸的银质首饰、项链等。现在人们都不时兴穿戴这些东西了，妈妈好几次打算把这些老掉牙的衣物处理掉，可是总舍不得。

这时，男孩从镜子里看得一清二楚，衣箱盖儿确实是开着的。他弄不明白这是怎么回事，因为妈妈临走之前明明把箱子盖好了。再说，只有他一个人留在家里，妈妈也绝不会让箱子开着就出去了。

他心里害怕起来，担心有小偷溜进了屋里。于是，他坐在那儿一动也不敢动，两眼怔怔地盯着那面镜子。

他坐在那里等待着小偷出现时，开始纳闷儿——箱子边上的那团黑影是什么东西。他目不转睛地看呀看，简直不敢相信自己的眼睛。那团东西起初像是影子，这时候变得越来越清晰了。很快，他就看清楚那是一个真实的东西，竟然是个小精灵骑坐在箱子的边沿儿上。

男孩当然早就听说过小精灵，可是他做梦也没有想到他们竟是这么矮小。坐在箱子边儿上的这个小精灵还没有一个巴掌高。他长着一张苍老、皱纹很多而无胡须的脸，身穿黑色长外套、齐膝的短裤，头戴宽边的黑帽。他打扮得非常整洁优雅，衣领和袖口上都缀着白色花边，鞋上镶着饰扣，吊袜带打成蝴蝶结。他从箱子里取出一块绣花手巾，坐在那儿着迷地欣赏着那件过时的手工制品，竟然没有发觉男孩已经醒了。

男孩看到小精灵，只是感到有些惊奇，并不特别害怕。这么矮小的东西是不会让人感到害怕的。小精灵聚精会神地欣赏着，别的什么也看不到、什么也听不见，男孩便想，把他推进箱子再盖上盖儿或者干点儿别的事，捉弄他一下，肯定很有趣。

可是男孩的胆子还没有那么大，他不敢用手去碰小精灵，所以他朝屋里四处张望，想找个东西捅他一下。他把目光从沙发移到折叠桌，再从折叠桌移到了壁炉上。他看了看壁炉旁边架子上的水壶和咖啡壶，又看了看门口的水桶，还有半开着门的橱柜里露出的勺子、刀、叉、盘、碟等等。他又抬头看了看挂在墙上的丹麦国王夫妇肖像旁边的爸爸的鸟枪，以及窗台上盛开的天竺葵和吊挂海棠。最后，他的目光落到挂在窗框上的一个破旧的捕蝶网上。

他一看到那个纱网便赶紧摘下来，蹿过去，贴着箱边儿扣了下去。连他自己都感到奇怪怎么这样走运，他还没有明白过来就真的逮住了小精灵。可怜的小东西掉到纱网底部，头朝下，再也爬不出来了。

刚开始，男孩简直不知道该怎么处置这个俘虏。他只顾小心翼翼地来回摆动纱网，免得小精灵有机会爬出来。

小精灵开口讲话了，苦苦地哀求放他出来。他说他这么多年来一直为他们家做了许多好事，应该待他好一些。如果男孩放了他，他会送给他一枚古银币、一个银勺子和一枚像他爸爸的银表壳那样大的金币。

男孩认为给他的东西并不多，可是又觉得，从逮住小精灵那一刻起，反而对他害怕起来了。他忽然觉得，自己是在跟一种陌生而又可怕的异类做一笔交易，放走这个怪物高兴还来不及呢！

所以，他马上就答应了这个条件。他不再摆动纱网，好让小精灵爬出来。可是正当小精灵就要爬出来的时候，男孩转念一想，他本应该要求得到一大笔财产和所有的好处。最起码他应该提出这么一个条件，让小精灵施展魔法把那些讲章变进他的脑子里。"我真傻，居然要放跑他！"他想，于是又开始使劲儿摇晃起那个纱网来，想让小精灵再掉进去。

就在这时，男孩挨了一记重重的耳光，他觉得自己的脑袋都要炸裂成碎块。他被撞到一堵墙上，接着又撞到另一堵墙上，最后倒在地上，失去了知觉。

当他醒过来时，屋里只剩下他一个人，小精灵已经无影无踪。衣箱盖儿合上了，纱网依旧挂在窗子上原来的地方。要不是他觉得挨过耳光的右脸颊还在火辣辣地疼，他真会认为刚才发生的一切只不过是一场梦。"无论如何，爸爸妈妈肯定不会相信所发生的事情的，"他想，"他们也绝不会因为那个小精灵的缘故放过我。我最好还是坐下来重新念吧。"

可是，当他朝着桌子走过去时，他发现了一件怪事。房子不可能变大，可是为什么走到桌前他却要比往常多走这么多步？那把椅子又是怎么回事？它看起来并不比刚才大，他却要先爬到椅子腿之间的横档上，然后才能爬到椅子座儿上。桌子也一样，他不爬上椅子的扶手便看不到桌面。

"这究竟是怎么回事？"男孩嚷道，"我想是那个小精灵对椅子、桌子还有整幢房子都施过魔法了。"

那本布道集注还摆在桌上，看样子没什么不同，可是肯定是哪儿不对劲儿，因为他要是不站到书上去的话，连一个字都看不全。

他读了两三行，无意中抬头一看，目光正好落在那面镜子上。他立刻尖叫起来："看，那里又有一个！"

因为在镜子里他清清楚楚地看到一个头戴兜帽、身穿皮短裤的小人儿。

"哎哟，那个小人儿打扮得跟我一模一样！"他叫道，惊讶得两只手不由得紧紧捏在了一起。这时，他看到镜子里的那个小人儿也做了同样的动作。他又揪了揪自己的头发，拧了拧自己的胳膊，扭了扭身子。镜子里的小人儿也立刻学着自己做了相同的动作。

男孩绕着镜子跑了好几圈，想看看镜子背后是不是藏着一个小人儿。可是他根本没有找到什么人。这时他吓得浑身发抖。因为他已经明白过来，原来小精灵在他身上施了魔法，镜子里看到的那个小人儿——正是他自己。

大　雁

男孩简直无法相信，自己变成了小精灵。"这只不过是一场梦，一种幻觉罢了，"他想，"过一会儿，我肯定还会变成人的。"

他站在镜子前闭上双眼。几分钟后，他睁开眼睛，期待着这一切都已经结束。可是事实并不是这样，他依然像刚才那样矮小。而其他方面都和以前完全一样：稀稀的淡黄色的头发，鼻子两边的点点雀斑，皮裤和袜子上的块块补丁都和过去一模一样，不同之处就是它们都变得很小了。

不行，这样呆呆地站着等待是无济于事的，他很清楚这一点。一定得试试别的法子，他觉得最好的办法就是，找到小精灵向他道歉，跟他讲和。

他跳到地板上开始寻找。他把椅子和柜子背后、沙发下面和锅灶里边都看了一遍，甚至还钻进了两三个老鼠洞里去看看，可就是找不到小精灵。

他一边寻找，一边哭泣、恳求和许愿。他保证再也不对任何人说话不算数了，再也不调皮捣蛋了，念讲章时再也不睡觉了。只要他能够重新变成人，他一定要做一个讨人喜欢、善良听话的孩子。可是不管他怎么保证，一点儿用处也没有。

他忽然想起来曾经听妈妈讲过，那些小人儿平常都是住在牛棚里的。他决定马上到那里去看看能不能找到小精灵。幸好屋门半开着，否则他根本够不着门闩打不开大门。不过，现在他可以毫不费劲儿地走出去。

他一走到门廊下就找他的木鞋，因为在屋里他当然是只穿着袜子来回走动的。他正发愁怎么样拖动那双又大又重的木鞋，可是他马上就看到门槛上放着一双很小的木鞋。当他意识到，小精灵想得这么细致周到，竟然连木鞋也给变小了的时候，就更加焦急起来。显然，小精灵是想让自己多受一会儿罪。

屋外竖着的那块旧木板上有一只灰色的麻雀在跳来跳去。他一看到男孩就叫了起来："叽叽，叽叽，快来看放鹅的尼尔斯！快来看拇指大的小人儿！快来看拇指大的小人儿尼尔斯·豪格尔森！"

院子里的鸡和鹅立刻掉过头来，盯着男孩看，咯咯地乱叫起来。"喔——喔——喔——"公鸡喊道，"他真活该！喔——喔——喔——他扯过我的王冠！""咯——咯——咯哒，他真活该！"母鸡们嚷道，而且没完没了地这样叫着。那些大鹅围起来挤成一团，把头伸到一起问道："是谁把他变成这样？是谁把他变成这样？"

可是最令人奇怪的是，男孩竟然能够听懂他们在说什么。他惊呆了，站在台阶上一动不动地听着。"肯定是因为我变成了小精灵，"他说道，"所以我能听得懂这些家禽们说的话。"

那些母鸡不停地嚷嚷着他活该，他觉得实在无法忍受，就捡起一块石子朝他们扔过去，并骂道："闭上你们的臭嘴，你们这群混蛋！"

可是他没有想到，自己已经不再是母鸡们看见了就害怕的那个男孩了。整个鸡群都冲向他，把他团团围住，齐声高叫："咯——咯——咯哒，你活该！咯——咯——咯哒，你活该！"

男孩想逃离这里，可是这些母鸡一边穷追不舍一边尖叫着，他觉得自己已经失去了听觉。要不是这时他家的那只猫正好走了出来，他休想摆脱这些母鸡。母鸡们一看见猫，顿时安静下来，装作专心致志地在地上啄虫子吃。

男孩马上跑到猫跟前，说："亲爱的猫咪，你不是对院里的角角落落都很熟悉吗？善良的小猫咪，请你告诉我在哪儿可以找到小精灵。"

猫没有立刻回答。他悠闲地坐了下来，把尾巴卷到腿前盘成一个漂亮的圆圈，盯着男孩看。这是一只很大的黑猫，胸口有块白斑，皮毛光滑柔顺，在阳光下闪闪发光。他的爪子缩了进去，眼睛眯成一条细缝，样子非常温顺。

"我当然知道小精灵住在什么地方，"他轻声说道，"可是，这并不等于说我愿意告诉你。"

"亲爱的猫咪，请你一定告诉我小精灵住在哪里，"男孩哀求道，"你难道没有看出来他对我施了什么魔法吗？"

猫微微睁开眼睛，里面射出了恶狠狠的绿光。他得意地扭动着身躯，喵喵地叫了半天，这才回答："难道我非得帮你的忙，就因为你常常揪我的尾巴？"他终于说道。

这时男孩勃然大怒，完全忘记了自己现在是多么弱小无助。"哼，我还要揪你的尾巴！"他叫嚷着，向猫猛扑过去。

刹那间，猫变了模样，男孩几乎不敢相信他就是刚才那个动物。他浑身的毛一根一根地全都竖了起来，拱起腰，伸直腿，爪子抓地，尾巴缩得又短又粗，两耳贴后，咧嘴嘶吼，双目圆瞪，冒着火星。

男孩不肯被一只猫吓着，他朝前逼近了一步。这时候，猫腾空跃起，扑到了男孩身上，把他撞倒在地，前爪踏住他的胸膛，张大嘴巴咬住他的咽喉。

男孩感觉到猫的利爪刺透了背心和衬衣，扎进了皮肉，锋利的牙齿触到了咽喉。他尖叫着狂呼救命，可是没有人来。他想这回自己肯定死定了。就在这时，他忽然觉得猫把爪子缩了进去，松开了他的喉咙。

"算了，"猫说道，"这回就算了，看在女主人的面上，我这一次饶了你。我只不过想让你明白，咱们俩现在究竟谁厉害。"

说完猫转身走了，看上去又像刚来时那样平静温顺。男孩羞愧得连一句话也说不出来，赶快跑到牛棚里去寻找小精灵。

牛棚里只有三头奶牛。可是当男孩走进去时，里面顿时沸腾起来，吼叫声、踢踏声，听起来里面至少有三十头。

"哞——哞——哞——"那头名叫五月玫瑰的奶牛吼道，"真是好极了，世上还真有公道！"

"哞——哞——哞——"三头奶牛齐声吼起来，她们的声音一个高过一个，男孩根本听不清她们在喊些什么。

男孩张口想问问小精灵住在哪里，可是奶牛们吵闹得太凶了，他根本无法让她们听见自己讲的什么。就像平时他把狗放进来扑咬她们似的，奶牛们疯狂地吼叫着，后腿乱踢，脖子乱晃，脑袋伸长，犄角都直对着他。

"你过来！"五月玫瑰吼道，"给你一蹄子，让你牢记在心！"

"过来，"另一头名叫金百合的奶牛叫道，"我要让你在我的犄角上跳舞！"

"过来，你也尝尝你去年夏天用木鞋砸我是什么滋味！"那头名叫星星的奶牛也咆哮着。

"过来，你把马蜂放进我的耳朵里，现在你要得到报应！"金百合怒吼道。

五月玫瑰是她们当中年纪最大、最聪明，也是最愤怒的。"过来！"她吼道，"今天我要教训教训你！多少次你妈妈挤牛奶时你抽走她的奶桶！多少次你妈妈提着奶桶走过时你伸脚绊倒她！又有多少次你气得她站在这里为你流眼泪！"

男孩想告诉她们，他过去一直欺负她们，自己现在是多么后悔，而且只要她们告诉他小精灵在哪里，从现在起他就再也不会那么做了。可是奶牛们谁都不听他说话。她们吵嚷得这么凶，他真害怕哪头牛会挣脱缰绳，所以他想，最好还是趁早从牛棚里溜出去。

他垂头丧气地走了出来。他知道，这儿没有谁想帮他找到小精灵。再说，即便是找到了小精灵，也不会有多大用处。

他爬到农庄四周的那堵厚厚的围墙上，上面长满了荆棘和青苔。他坐下来，思索着万一自己再也变不回去，那该怎么办呢？爸爸妈妈从教堂回来一定会大吃一惊。全国各地都会大吃一惊的！人们会成群结队地涌过来，整个西威门豪格教区的人都会赶来看他。说不定，爸爸和妈妈还会把他领到科维克的集市上展览呢。

不！这事儿太可怕了。他真情愿从此再也没有一个人看到他。

他真是太不幸了！世上再没有人像他那样不幸了。他已不再是人了，而是变成了一个怪物。

渐渐地他开始明白过来，不再是人的话，那将意味着什么。他将失去人间所有的一切：再也不能同别的男孩一起玩耍，不能继承父母的这个农庄，而且没有哪个姑娘愿意嫁给他。

他坐在那里，看着自己的家。这是一幢很小的农舍，原木交叉做成的梁柱，好像要被那高而陡的草房顶压得深陷进地里；偏屋也都很小；耕地窄得几乎容不下一匹马翻身打滚。尽管这地方又小又穷，现在对他来说已经是再好不过了。除了在牛棚的地上找个洞当自己的家外，他现在不可能再奢望别的住处了。

多好的天气呀！树枝发满嫩芽，流水波纹荡漾，小鸟叽叽欢唱，一片欣欣向荣的景象。而他却坐在那里心情非常沉重，什么事情都再也无法使他高兴起来。

他从来没有见过天空像今天这么碧蓝。候鸟展翅飞翔。他们刚从国外飞来，横越波罗的海，穿过斯密戈赫克，现在正向北飞行。鸟群种类繁多，可他只认得大雁，他们排成"人"字形。

几群大雁已经飞过去了。他们飞得很高很高，男孩仍能听到他们在喊叫："飞向高山！飞向高山！"

当大雁们看到那些院子里踱来踱去的家鹅时，他们朝地面俯冲下来，喊道："一起去吧！一起去吧！跟我们一起飞向高山！"

家鹅们禁不住抬起头倾听。可是他们明智地答道："我们在这儿生活得很好！我们在这儿生活得很好！"

随着一群又一群大雁飞过，家鹅们越来越蠢蠢欲动。好几次，他们舒展翅膀，似乎想跟着大雁一起飞翔。可是有只年长的鹅妈妈总是告诫道："千万别发疯！他们在空中一定要挨饿受冻的。"

大雁的呼唤使得一只年轻的雄鹅怦然心动。"要是再过来一群大雁，我就跟他们一起去。"他说道。

又一群大雁飞过来了，他们照样呼唤着。这时那只年轻的雄鹅答道："等一下，等一下，我来啦！"

他张开翅膀，扑向空中。但是他不习惯于飞行，结果跌落在地上。

不管怎样，大雁们肯定是听见了他的叫声，他们掉头慢慢地飞回来，看看他是不是真的要跟上来。

"等一下，等一下。"他叫道，又试飞了一次。

这一切都让躺在围墙上的男孩听见了。"这只大雄鹅飞走的话，那该有多可惜呀！"他想，"爸爸妈妈从教堂里回来，发现大雄鹅不见了，一定会非常伤心的。"

他这么想的时候却又忘记了自己是那么矮小，那么没有力气。他一下子从墙上跳了下来，正好跳到鹅群中，两只胳膊紧紧抱住了雄鹅的脖颈。"你可千万别飞走啊！"他喊道。

不料就在这一瞬间，雄鹅明白了怎样才能使自己离开地面飞起来。他来不及停下来把男孩抖掉，只好带着他一起飞向空中。

一下子就飞到空中，这使得男孩头晕目眩。等到他想到应该松开雄鹅的脖子时，他已被带到高空了。如果这时再松开手，掉到地上，他必定会摔得粉身碎骨。

要想稍微舒服一点儿的话，他唯一可做的事情就是试图爬到鹅背上去。他费了九牛二虎之力爬了上去。不过，要想在光滑的鹅背上那两只不断扇动的翅膀之间坐稳，也不是一件容易的事情。他不得不用两只手牢牢地抓住雄鹅的羽毛，以免滑落下去。

方　格　布

男孩觉得头晕眼花、天旋地转，好长一段时间都迷迷糊糊的。一阵阵气流呼啸着扑面吹来。随着翅膀的上下扇动，雄鹅的羽毛暴风雨般地呜呜作响。十三只大雁在他身边飞翔，一边振翼挥翅，一边放声啼鸣。他们在他的眼前翻转飞舞，在他的耳边嗡嗡作响。他不知道大雁们飞得是高还是低，也不晓得究竟要飞向何方。

后来，他终于清醒了一些，意识到应该弄明白这些大雁究竟要把自己带到哪里去。不过这事儿并不那么简单，因为不知道自己有没有勇气低头往下看。他敢肯定，只要往下一看，他非晕眩不可。

大雁们飞得并不特别高，因为这位新来的旅伴在稀薄的空气中会透不过气来。为了照顾他，他们比平常飞得也慢了一些。

男孩终于往下面瞄了一眼。这时他觉得，自己下面铺着一块很大的布，上面分布着不计其数的大大小小的方格。

"我究竟到了什么地方呀？"他问道。

除了一个又一个的方格外，他啥都看不见。有些是斜方形的，有些是长方形的，但是每块都有棱有角，既没有圆形的，也没有弯曲的。

"我向下看到的究竟是怎样的一块大方格布呢？"男孩自言自语地问道，并没有期待有谁回答他。

但是，在他身边飞行的大雁却马上齐声叫道："是耕地和牧场，是耕地和牧场。"

这一下他恍然大悟，自己正飞越的那块大方格布原来就是瑞典南部的平坦大地。他开始明白过来，为什么大地看上去那么多方方块块，五颜六色。那些碧绿色的方格他首

先认出来了，那是去年秋天播种的黑麦田，在积雪覆盖之下一直绿莹莹的。那些灰黄色的方块是去年夏天庄稼收割后残留着茬根的田地，褐色的是老苜蓿地，而黑色的是还没有长出草来的牧场或者是已经犁过的休耕地。

褐色镶着黄边的方块肯定是山毛榉树林，因为这种树林里大树长在中央，到了冬天叶子会落光，而长在边上的那些小山毛榉树却能把枯黄的干树叶保存到来年春天。还有些方格，中间是绿色的，周围是褐色的，那是果园，草坪已经泛绿，而四周的果树和灌木丛仍然是光秃秃的，枝干呈褐色。

当男孩看到所有这一切都变成了方格，禁不住笑出声来。

大雁们听到他的笑声，便责备地喊道："肥沃的土地！肥沃的土地！"

男孩马上严肃了起来。"想想你遭遇了人所能碰到的最不幸的事情，你竟然还笑得出来！"他心想。

他严肃了一会儿，不久又笑了起来。

他逐渐习惯于骑着鹅迅速飞行了，所以除了在鹅背上坐稳之外，还可以分神想点儿别的事情。他开始注意到空中熙熙攘攘全都是朝北飞的鸟群。而且这群鸟同那群鸟之间还你呼我唤互相打着招呼。

大雁们每飞过一处地方，看到那些已掉了羽毛的家禽时就会问道："这个农庄叫什么名字？这个农庄叫什么名字？"公鸡们仰起头来喊道："这个农庄叫做'小田园'！今年和去年名字一样！今年和去年名字一样！"

在斯康耐这个地方，大多数农家田舍习惯上是以主人的姓名称呼的。然而，公鸡们却不愿说这是"珀尔·曼特森家"，或者那是"奥拉·波森家"。而是根据他们的想法觉得什么更合适就叫什么名字。住在小农庄穷人家里的就会叫道："这个农庄叫'缺粮'！"而住在最贫穷的茅草屋家的公鸡则喊道："这个农庄叫'吃不饱'、'吃不饱'！"

那些日子过得红火的富裕大农庄的公鸡们就起了响亮动听的名字，比如"吉祥地"、"蛋山庄"、"金钱村"等等。

然而住在贵族庄园里的公鸡们却太高傲自大，不屑于这么戏言调侃。有这么一只公鸡拼命地叫喊，好像是想让太阳也听清他的声音，他喊道："本庄乃是赫尔·戴伯克的庄园！今年和去年一样！今年和去年一样！"

没走多远，另外一只昂首阔步的公鸡也叫道："本庄乃是天鹅岛，肯定全世界都知道！"

男孩注意到,大雁们并没有直着往前飞,而是在整个南方平原的上空到处盘旋翱翔,他们好像很乐意到斯康耐旧地重游,并向每个农庄问候致意。

他们来到一个地方,这里矗立着几座高大而笨重的建筑物,高高的烟囱指向空中,周围是一片矮小的房屋。"这是乔德伯戈糖厂。"公鸡们叫道。男孩坐在鹅背上不禁浑身一颤,他早该认出来这个地方。这个糖厂离他家并不远,去年他还在这里放过鹅呢!从这么高的空中往下看,一切都变了样。

想想看!去年他的小伙伴放鹅姑娘奥萨还有小马茨,不知道他们现在怎么样?男孩真想知道他们是不是还在这附近。要是他们知道他就在他们的头顶上高高飞过的话,他们会说些什么呢?

乔德伯戈很快从视线中消失了。他们飞到斯威达拉和斯嘎伯湖,然后又折回到伯瑞恩格修道院和海科伯戈的上空。男孩在这一天里见到的斯康耐的地方要比他出生到现在这么多年里所见到的还要多。

大雁们看到家鹅时是最开心的了。他们慢慢地飞过去,往下呼唤道:"我们飞向高山,你们跟着来吗?你们跟着来吗?"

可是家鹅们却回答说:"这里还是冬天呢,你们出来得太早了,快回去吧!快回去吧!"

为了让家鹅们听得更清楚些,大雁们飞得更低了。他们呼唤道:"快来吧!我们教你们飞翔和游泳。"

这时家鹅们生气了,一言不发,置之不理。

大雁们飞得更低了,身子几乎擦到了地面,然而又闪电般冲到空中,好像突然受到了惊吓。

"哎呀呀,哎呀呀!"他们惊呼道,"这些原来不是家鹅,而是一群绵羊,而是一群绵羊!"

地上的家鹅气得暴跳如雷,尖叫道:"但愿射死你们,全被射死!全被射死!"

男孩听到这些逗乐取笑,大笑起来。这时,他又想起来自己的不幸遭遇,忍不住哭了起来。可是很快,他又笑了起来。

大雁阿卡

傍　　晚

那只跟随大雁在空中飞行的大雄鹅，为能同他们一起在南方的上空来回翱翔并戏弄别的家禽而扬扬得意。尽管很开心，到了下午晚些时候，他开始感到疲倦了。他竭力深呼吸并加速拍打翅膀，然而仍旧落在了别的大雁后面。

那几只飞在队尾的大雁注意到这只家鹅跟不上队伍的时候，便向最前头的领头雁喊道："科博内凯斯山来的阿卡！科博内凯斯山来的阿卡！"

"你们喊我有什么事？"领头雁问道。

"白鹅掉队了！白鹅掉队了！"

"告诉他，快点儿飞比慢慢飞要省力！"领头雁回答说，并且照样向前飞行。

雄鹅尽力按照她的建议去做，加快了速度。但是很快他就筋疲力尽，径直向耕地和牧场四周的垂柳坠落下去。

"阿卡！阿卡！科博内凯斯山来的阿卡！"队尾的大雁看到雄鹅苦苦地挣扎着就又喊道。

"你们又喊我干什么？"领头雁问道，从她的声音里听得出来她非常生气。

"白鹅往下掉了！白鹅往下掉了！"

"告诉他，飞得高比飞得低更省劲！"领头雁说，她一点儿也没有放慢速度，照样向前飞行。

雄鹅还是按照她的建议去做，可是往上飞时，他却上气不接下气，连肺都快要炸开了。

"阿卡，阿卡！"队尾的那几只大雁又喊起来。

"难道你们就不能让我安安静静地飞吗？"领头雁听起来更不耐烦了。

"白鹅快要撞到地上去了！"

"告诉他，跟不上队伍就回家去！"领头雁答道。她根本没有打算放慢速度，照样向前飞行。

"嘿，原来是这样。"雄鹅心想。他一下子明白过来，大雁们根本没打算带他到北部的拉普兰去，而只是把他骗出家门戏弄他一下。

他非常恼火。但是遗憾的是自己力不从心，不能向这些流浪者显示一下，即使是家鹅也能做些什么。最令人恼火的是，他遇上了从科博内凯斯山来的阿卡。尽管他是只家鹅，可也听说过有只名叫阿卡的一百多岁的领头雁。她名声很大，连世上最好的大雁都跟随着她。不过，再也没有比阿卡和她的雁群更看不起家鹅的了，所以他本想让他们看看，他并不比他们差。

他跟在后面慢慢地飞着，心里盘算着是掉头回去还是继续向前飞。这时候，他背上驮着的那个小人儿开口说道："亲爱的雄鹅莫腾，你也清楚，你从来没有飞上天过，要想跟着大雁一直飞到拉普兰，那是不可能的。难道你不想在摔死之前飞回家吗？"

在雄鹅看来，这个佃农家的男孩是他所知道的最坏的一个，当他意识到连这个可怜虫都不相信自己有能力完成这次飞行时，就下定决心要坚持下去。"你再多说一句，飞到第一个水沟时我就把你扔下去！"雄鹅叫道。他一气之下竟然同别的大雁飞得差不多快了。

当然，要长时间这么快地飞行他是坚持不住的，况且也不需要这么做，因为这时太阳很快落山了。太阳落山时大雁们就飞了下来。男孩和雄鹅还没有愣过神来，他们就已经落在瓦姆布湖的岸边了。

"看来他们打算让我们在这里过夜啦。"男孩子想着，就从鹅背上跳了下来。

他站在一个湖面相当开阔的狭窄的沙岸上。湖面很难看，上面几乎还覆盖着一层冰，并且冰层黑黝黝的、凹凸不平，到处是裂缝和窟窿——正是春天常见的

那样。

湖对岸好像是一片开阔的明朗地带，而雁群栖息的地方却是一个茂密的松树林。看样子，那片针叶林似乎能够把冬天的脚步留在这里。其他地方的雪已经融化了，而在枝条繁密的树冠下仍有积雪，积雪融化了又冻结起来，再融化再冻结，所以坚硬得像冰一样。

男孩觉得自己来到了一个冰天雪地的荒原，心情苦闷极了，真想号啕大哭一场。他肚子也饿了，已经一整天没有吃东西了。可是他到哪儿去找吃的呢？三月这个季节，无论是地上还是树上都还没有长出一些可以吃的东西来呢！

是啊，他到哪儿去寻找食物呢？谁会给他提供住处？谁会为他铺床叠被呢？谁又会来保护他不受野兽伤害呢？

现在太阳落山了，湖面上吹来一股寒气，夜幕降临，恐惧也随着黄昏悄悄地袭来。森林里开始传来刷拉拉的响声。

男孩在空中遨游时的那种兴奋已经消失殆尽。郁闷中他环视着自己的那些旅伴，除了他们，他已经无依无靠。

这时他看到那只大雄鹅的境况比自己还要糟糕。他一直趴在最初降落的地方，看上去好像马上就要断气了一样：脖子无力地瘫在地上，双眼紧闭着，呼吸非常微弱。

"亲爱的雄鹅莫腾，"男孩说道，"试着去喝点儿水吧！这里离湖边还不到两步远。"

可是大雄鹅一动也不动。男孩过去对所有动物都很残忍，对这只雄鹅也是如此。此时此刻他却觉得雄鹅是他唯一的依靠，他真的特别害怕失去大雄鹅。男孩赶紧推他、拉他，想把他弄到水边。可是雄鹅又大又重，对于男孩来说这件事可真不容易，最后他总算是把他推到了水边。

雄鹅把脑袋伸进了水里，在泥浆里一动不动地躺了一会儿，可是不久他就伸出嘴巴，抖掉眼睛上的水珠，喘起气来。后来他就得意地在芦苇和蒲草之间游来游去。

大雁们比雄鹅先来到湖里。他们降落到地面上后，既不管雄鹅也不管鹅背上驮着的那个人，而是径直蹿进水里。他们游了泳，刷洗了羽毛，现在正卧着吞咽那些半腐烂的芦苇和水草。

那只白鹅运气不错，一眼瞅见了一条鲈鱼。他一下子啄住，游到岸边，把鱼放在男孩面前。"这是送给你的，谢谢你帮助我下到水里。"他说道。

这是男孩在这一天里第一次听到的亲切话语。他高兴极了，真想伸开胳膊抱住雄鹅的脖子，不过他没有这么做。他非常感激雄鹅送给他这份礼物。一开始他觉得自己不可能吃生鱼，可是后来他想试一试。

他摸了摸身上，看自己是不是带着那把带鞘的刀。小刀确实随身带着，就挂在裤子的纽扣上。小刀也变小了，只有火柴杆那么长。好啦，就用这把小刀把鱼鳞刮干净，把内脏挖出来。不大一会儿他就把鱼吃下肚去了。

男孩吃饱之后却感到有点儿羞涩，因为他居然能够吞吃生肉。"显然我已经不再是个人，而是个真正的小精灵了。"他心想。

男孩吃鱼时，雄鹅一直静静地站在他身边。当他咽下最后一口时，雄鹅才低声说道："我们碰上了一群高傲自大的大雁，他们看不起所有的家禽。"

"是的，我看出来了。"男孩说道。

"如果我能跟着他们一直飞到北方的拉普兰，让他们看看，一只家鹅也可以有所作为，这对我来说该是多么光荣啊。"

"是——啊——"男孩拖长了声音答道，因为他不相信雄鹅能够做到，可是又不愿意反驳他。

"不过我认为光靠我自己的力量是不能完成这次飞行的。"雄鹅说道，"所以我想问问，你是不是愿意陪我一起去，助我一臂之力。"

"我原以为，你和我一直是冤家对头。"男孩答道。可是雄鹅似乎把这些全都忘得一干二净，而只记得男孩刚才救过他的命。

"我想赶快回到爸爸妈妈身边去。"男孩说。

"到了秋天我一定把你送回去，"雄鹅许诺道，"不把你送到家门口，我是不会离开你的。"

男孩心想，隔一段时间再让爸爸妈妈见到他也好。他对这个提议并不是无动于衷，刚要说同意一起去，突然他俩听到背后传来一阵呼啦啦的巨响。原来大雁们全都一起从湖里飞了上来，站在那儿抖掉身上的水珠。然后他们排成长队，由领头雁率领着朝他们这边走过来。

那只白雄鹅打量着这些大雁时，觉得心里很不是滋味。他原以为，他们的相貌会更像家鹅，并且可以感觉到自己同他们有更亲近的血缘关系。事实上，他们比他小得多，没有一只是白色的，全都是灰色夹杂着褐色羽毛。他们的眼睛简直让他感到害怕，黄黄的闪着光芒，好像有团火焰在燃烧着。雄鹅生来就养成了慢慢吞吞、摇摇摆摆的走路习惯，他认为这样的姿势最为合适。然而这些大雁不是走而几乎是跑。他看到他们的脚，心里更是震惊。他们的脚都很大，而且脚掌都磨得伤痕累累。显然，这些大雁从来就不在乎脚下踩着什么东西，遇到东西也从不绕道走。从他们的脚上一眼就能看出，他们是生活在荒野的穷光蛋。

雄鹅刚来得及对男孩悄悄说上一句："你要大大方方地答话，不过不要告诉他们你是谁！"大雁们就已经来到他俩面前。

大雁们在他俩面前停下来，频频点头行礼。雄鹅也点头行礼，只不过点头的次数更多些。互相致敬结束后，领头雁说道："现在我想我们应该听听您是哪位。"

"关于我，可说的不多，"雄鹅说，"去年春天我出生在斯甘诺尔。去年秋天，我被卖到西威门豪格教区的豪格尔森家。从此我就一直住在那里。""这么说，你并非出身名门，"领头雁说道，"是什么原因使你有勇气加入到我们大雁的队伍里来？""也许是因为我想让你们大雁瞧瞧我们家鹅也能有所作为。"雄鹅答道。"行啊，你要是真能让我们见识见识，还真不错。"领头雁激将道，"我们已经领教了你的飞行水平，或许你更擅长于别的运动。你是不是善于长距离游泳？""不行，实在不敢当。"雄鹅说。他似乎觉得领头雁已经拿定主意要撵他回家，所以他根本不在乎该怎样回答。"除了游过一个泥灰石坑外，我还没有游过更远的距离。"他答道。"那么，我估计你准是个长跑冠军喽！"领头雁追问道。"我从来没有见过哪只家鹅跑过，我自己也从来没有跑过。"雄鹅答道，这一来使得局面似乎比刚才还要糟糕。

白雄鹅这时断定，领头雁肯定会说，无论如何他们也不能带他一起走。然而他却非常吃惊地听到领头雁说道："唔，你有勇气这么回答问题。只要有勇气就能成为一个好旅伴的，即使开始时不熟练也没关系。你跟我们再待一两天，让我们看看你会些什么，怎么样？"

"这样安排我很满意！"雄鹅高兴地回答。

随后，领头雁撅撅她的扁嘴问道："跟你一块儿来的这位是谁？我还从来没有见过像他这样的家伙呢。"

"他是我的旅伴，"雄鹅回答说，"他一直就是看鹅的，带上他旅途中会有用处的。"

"对家鹅来说大概有用处，"领头雁说道，"你怎么称呼他？"

"他有好几个名字，"雄鹅犹豫着说道，一时间竟想不出来该怎样敷衍过去，因为他不愿意暴露这个男孩有个人的名字。"噢，他叫大拇指。"他终于答道。

"他是小精灵那个家族的吗？"领头雁问道。

不难看出，那只同雄鹅讲话的大雁已经上了年纪。她全身的羽毛都是灰白色，没有一根深色的。她的脑袋比别的大雁大一些，双腿更粗壮，脚掌也磨损得更厉害。她的羽毛坚硬，双肩瘦削，脖子细长。所有这些都是年老的象征，唯独那双眼睛显示不出岁月的痕迹，炯炯有神，似乎比别的大雁的眼睛更年轻。

这时她非常傲慢地转过身来对雄鹅说："你要知道，家鹅先生，我是从科博内凯斯山

来的阿卡！

离我最近飞在右边的是从瓦斯捷尔来的埃克希，飞在左边的是诺尔佳来的卡克希。右边的第二只是从撒尔耶克雅口来的考尔美，左边的第二只是斯瓦帕瓦瑞来的奈尔雅。在他们后边飞的是奥维克斯亚轮来的维斯和从桑格利来的库斯！你要知道，这几只大雁同飞在队尾的那六只雁，三只右边的，三只左边的，他们都是出身名门世家的高山大雁！你不要把我们当做随便和什么人都可以混在一起的流浪者，也不要以为我们会让不愿意说出自己来历的家伙和我们睡在一起。"

当领头雁阿卡用这种语气说话时，男孩突然迈向前来。雄鹅在谈到自己时那么爽快利落，而在谈到他时却躲躲闪闪的，这让他很不好受。

"我不想隐瞒我是谁，"他说道，"我叫尼尔斯·豪格尔森，是个佃农的儿子，在今天之前我一直是一个人，可是今天上午……"

男孩还没有说完，刚说到他是一个人时，领头雁惊讶地后退了几步，别的大雁往后退得更远，一个个伸长脖子，愤怒地朝他鸣叫起来。

"从我在湖边第一眼看到你起，我就怀疑，"阿卡叫道，"现在你马上离开这里！我们不能容忍有个人混到我们当中！"

"你们大雁用不着对这么个小人儿感到害怕，"雄鹅从中调解说，"当然，到明天他就会回到家。可是今天晚上请你们一定留他跟我们一起过夜。让这么一个可怜的小人儿在黑夜里单独游荡，置身于鼬鼠和狐狸当中，我们谁也担当不起。"

于是领头雁走近了些，但是看得出，她还是很难抑制住自己内心的恐惧。"我可领教过人的厉害，只要是人我都怕，不管是大人还是小人，"她说道，"不过要是你雄鹅能对这个人负责，保证他不会伤害我们，今天晚上他可以跟我们一起过夜。可是我觉得我们的宿营地不论对你还是对他都不太适合，因为我们打算到那边的浮冰上去睡觉。"

男孩以为，雄鹅听到这句话就会犹豫起来，出乎预料他却不动声色。"你们真聪明，竟然知道挑选一个这么安全的宿营地。"

"不过你要保证他明天一定回家去。"

"那么说，我也不得不离开你们啦，"雄鹅说，"我发过誓决不抛弃他的。"

"你爱去哪儿就去哪儿吧！"领头雁说道。说完，她就张开翅膀向浮冰飞去，其他大雁也一只接一只地跟着飞了过去。

想到拉普兰的这趟旅行又去不成了，男孩心里很沮丧。另外，他对露宿在这么寒冷的黑夜里也感到很害怕。"事情越来越糟糕了，"他说，"首先，我们会冻死在露宿的冰上。"

可是，雄鹅却信心百倍。"不要紧，"他说，"现在我只要你赶快收集干草，你能抱多少就抱多少。"

男孩抱了一大抱干草，雄鹅叼住他的衬衫衣领，把他拎了起来，飞到了浮冰上。这时大雁们都已经把喙缩在翅膀下酣然入睡了。

"快！把干草铺在冰上，这样我可以有个站脚的地方，免得把脚冻在冰上。你帮我，我也帮你！"雄鹅说道。

男孩照着吩咐做了。他把干草铺好之后，雄鹅又叼起他的衬衫衣领，把他塞到翅膀底下。"我想你会在这儿暖暖和和地睡个好觉的。"说着他就把翅膀合了起来。

男孩被裹得严严实实，无法答话。他躺在那里既暖和又舒适，再加上白天的疲倦，眨眼间他就睡着了。

黑　夜

冰总是看上去好像很安全，实际上是靠不住的。到了半夜，瓦姆布湖面上那块大浮冰渐渐移动过来，有个地方竟同湖岸连在了一起。这时，有只名叫斯密尔的狐狸，夜里出来觅食，看见了这个浮冰与湖岸连接处。他当时住在湖东岸的奥维德修道院的公园里。

傍晚时斯密尔就已经看见这些大雁，不过当时他还没敢指望可以抓到一只。这时他便一下子蹿到浮冰上。

正当斯密尔靠近大雁身边时，他脚底下一滑，爪子在冰上刮了一下。大雁们顿时惊醒过来，拍打着翅膀就朝空中飞去。可是斯密尔实在来得太快，他像被射出去一般直扑过去，一口咬住一只大雁的翅膀，叼起来转身就往湖岸跑去。

然而这天晚上，露宿在浮冰上的并不只是一群大雁，他们当中毕竟还有一个人，不管他有多小。男孩在雄鹅张开翅膀时就惊醒了。他摔倒在冰上，坐在那儿，睡眼惺忪。当他看见，有条短腿的小狗嘴里叼着一只大雁从浮冰上跑掉时，他才明白过来大家乱作一团的原因。

男孩马上追赶过去，想夺回那只大雁。他肯定能听见雄鹅对他喊道："当心啊，大拇指！当心啊！"可是，男孩觉得用不着害怕这么小的一只狗，所以他冲了过去。

那只被狐狸斯密尔叼在嘴里的大雁听到男孩的木鞋踩在冰上发出的呱嗒呱嗒声，她几乎不敢相信自己的耳朵。"那个小人儿想把我从狐狸嘴里夺过去吗？"她心想。尽管她的处境很糟糕，她还是呱呱地叫起来，听起来就好像是在哈哈大笑。

"首先他清楚自己会掉到冰窟窿里去的。"她想。

尽管夜是那么黑，男孩却仍然能看清冰面上的所有裂缝和窟窿，并且大胆地跳了过去。原来他现在有了一双小精灵的夜明眼，能够在黑

暗里看见东西。他看见了湖面和湖岸，就像是在白天一样清晰。

狐狸斯密尔从浮冰与湖岸相接的地方上了岸，正当他拼命往岸上奔跑时，男孩朝他喊道："放下大雁，你这个坏蛋！"

斯密尔不知道谁在冲他喊叫，也顾不上回头看看，只是加快了速度往前跑。

狐狸跑进那片树林，男孩穷追不舍，根本没有想会碰到什么危险。相反，他一心想着昨天晚上大雁们是怎么奚落他的，他要向他们显示一下：人总是比别的动物强。

他一遍又一遍地朝那只狗喊叫，要他把嘴里的大雁放下来。"你到底是一只什么样的狗？居然偷了一整只大雁还不知羞耻！"他叫喊说，"马上放下她！否则，你等着瞧我怎么揍你！马上放下她！不然，我就把你的所作所为告诉你的主人！"

当狐狸斯密尔听到，自己被误认为是一只怕挨打的狗时，他觉得十分可笑，差点儿把嘴里叼着的那只雁掉下来。斯密尔是个臭名昭著的大强盗，他并不满足于在田地里捕捉田鼠和鸽子，他敢跑到农庄里去叼鸡和鹅。他知道这一带人家都害怕他，所以像这样荒唐的话他从小连听都没有听说过。

男孩跑得飞快，那些茂密的山毛榉树好像在他身边飞驰而去。他追上了斯密尔，终于靠近他一把抓住了他的尾巴。"现在我要把大雁从你嘴里抢回来！"他大声喊道，并且紧紧抓住狐狸的尾巴。可是他没有那么大的力气，拖不住斯密尔。狐狸拖着他往前跑，地上山毛榉树的枯叶在他身边飞舞起来。

这时斯密尔开始明白过来，原来追赶他的人没啥可值得害怕的。他突然停下来，把大雁扔到地上，用前爪按住她，免得她飞走。狐狸正要咬断大雁的咽喉，可是禁不住想逗一逗那个小人儿。"快滚回去向主人告状吧！我现在要咬死这只大雁啦！"他说。

男孩看到他追赶的那只狗长着很尖很尖的鼻子，吼声嘶哑而野蛮，非常吃惊。可是他很生气狐狸那么捉弄他，所以顾不上害怕了。他把狐狸的尾巴攥得更紧了，后背靠在山毛榉树树干上。正当狐狸张开大嘴朝大雁咽喉咬下去时，他使出浑身力气使劲一拽。斯密尔冷不防被拖得倒退了一两步，这样大雁就得以脱身。她吃力地重重地扇动翅膀，一个翅膀伤得很重。再加上在这漆黑的森林里她什么也看不见，就像一个瞎子那样无能为力。所以她帮不上男孩什么忙，就从树枝里钻了出去，飞回了湖面上。

斯密尔朝男孩扑了过去。"我得不到那一个，就要得到这一个！"他吼道，从声音里听得出来他是多么愤怒。

"哼，你休想！"男孩说道。他正为救出了大雁而高兴不已。他死死抓住狐狸的尾巴，当狐狸转过头来想抓住他时，他就抓着尾巴闪到一边。

这简直像是在森林里跳舞一样，山毛榉树的落叶纷纷飞扬起来，斯密尔转了一圈儿又一圈儿，可是他的尾巴也跟着转圈儿。男孩紧紧地抓住尾巴，所以狐狸怎么也抓不住他。

男孩为自己取得的胜利感到非常开心，一开始他只顾哈哈大笑并捉弄着狐狸。可是斯密尔像所有善于追捕的老猎手一样非常有耐力，男孩开始担心这样下去终究会被狐狸抓住。

这时，他一眼看见一棵小山毛榉树，树干细得像一根杆子，直伸向天空。他松开狐狸尾巴，闪电般纵身爬到那棵树上。而斯密尔急于抓住男孩，丝毫没察觉，仍继续追着自己的尾巴跳了很长时间。

"别再跳了！"男孩说。

斯密尔觉得，自己连这么个小人儿都不能制伏是莫大的耻辱，于是他就趴在这棵树下严密监视，等待时机。

男孩跨坐在一根柔弱的树枝上，很不舒服。这棵小山毛榉树还没长太高，所以他既不能由此爬到另外一棵树上去，又不敢下到地面去。

他冻得浑身僵硬，几乎握不住树枝；他还困得要命，可是却不敢睡觉，害怕睡着了摔下去。

天哪！一整夜就这样坐在森林里该是多么凄凉！他过去从来不知道"黑夜"这个词的真正含义，就好像是整个世界都已经化为顽石，再也不会复苏。

天色终于开始发亮。尽管黎明的寒气比夜间还冷，但是男孩心里却很高兴，因为一切又恢复了原样。

太阳终于露出了脸，黑夜的恐怖很快就被赶走了。万物又恢复了蓬勃的生机。一只红脖子的黑色啄木鸟开始啄打着树干。一只松鼠抱着一个坚果从窝里钻出来，蹲在树枝上剥着果壳。一只椋鸟衔着个小虫朝这边飞来。一只燕雀在枝头婉转鸣唱。

这时男孩明白了，原来是太阳对所有这些小生灵说："醒醒吧！从你们的窝里出来吧！我在这儿！你们不用再提心吊胆啦！"

大雁的鸣叫声从湖边传来，正在整装待发继续飞行。过了一会儿，十四只大雁呼啦啦地从树林的上空飞过。男孩扯开喉咙向他们呼喊，但是他们飞得太高，根本就听不到。可能他们以为他早被狐狸吃掉了，所以他们没有费神来寻找他。

男孩伤心得几乎快要哭了。太阳依然在空中，金光灿烂地露出笑脸，使整个世界都增添了勇气。太阳仿佛在说："尼尔斯，只要我在这儿，什么事情你都不用愁。"

大雁的戏弄

三月二十一日 星期一

大约有大雁们吃顿早饭那样长的工夫，森林里没有任何变化。但是清晨过后接近中午时，一只大雁独自飞进了浓密的树林里。她在树干和树枝之间犹豫地寻找着出路，并且飞得很慢。狐狸斯密尔一看见她，就从那棵小山毛榉树下离开了，偷偷地跟踪着她。大雁并没有躲避狐狸，而是紧挨着他飞翔。斯密尔蹿起身来扑向她，可是扑了个空，大雁朝湖边飞去。

没过多久，又飞来一只大雁，她沿着第一只大雁飞翔的路线，不过飞得更慢、更低。她也紧挨着狐狸斯密尔飞，狐狸向上蹿得更高，连耳朵都已经碰着了她的脚掌。她却安然无恙地躲开了，像影子一样无声无息地朝湖边飞去。

过了一会儿，又飞来一只大雁。她飞得更低、更慢，好像在山毛榉树干之间更难找到出去的路。斯密尔奋力向上一跃，只差一根头发丝的距离就抓住她了，可是大雁还是逃脱了。

那只大雁刚刚飞走，第四只又飞来了。她飞得慢慢腾腾、歪歪斜斜。斯密尔觉得不用费劲儿就能抓住她。不过这次他怕再失败了，决定放她过去，所以就没有扑过去。这只大雁飞的路线同前几只一样，好像径自飞到了斯密尔的头顶上，她飞得非常低，逗引得他忍不住朝她扑了过去。他跳得很高，尾巴都已碰到了她。她忽然将身子一闪，保住了性命。

还没等斯密尔喘过气来，又有三只大雁排成一行飞了过来。他们飞的速度和路径跟前几只完全一样。斯密尔跳得很高，扑了一次又一次，可是一只也没有捉到。

接着又飞来了五只大雁，他们比前几只飞得好些。虽然他们似乎也想逗引斯密尔跳起来，他却没有上当。又过了好大一会儿，又有一只大雁独自飞来。这是第十三只。这是一只很老的大雁，浑身灰色，没有一根深色羽毛。显然，她只能使用一只翅膀飞行，因为她飞得歪歪扭扭、摇摇晃晃，几乎撞到了地面。斯密尔不仅蹿上去扑向她，而且还追

逐着她，连蹦带跳一直追到湖边。然而这一次也是白费力气。

就在这时，第十四只飞来了，看上去非常漂亮，因为他浑身雪白。当巨大的翅膀挥动时，阴暗的森林里仿佛出现了一片亮光。斯密尔一看见他，就使出浑身力气，腾空跳到树干的一半高，但是这只白色的也像前面的那些一样安然无恙地飞走了。

山毛榉树下又安静了一会儿，好像整个雁群都已经飞走了。

突然，斯密尔想起他守候的那个猎物，便抬起头往山毛榉树上看。果然不出所料，那个小人儿早已无影无踪了。

不过斯密尔没有多少时间去想他，因为这时第一只大雁又从湖边飞回来了，在树冠下面慢慢腾腾地飞着。尽管每次都不走运，她飞回来斯密尔还是很高兴。他追赶上去朝她猛扑。可是他太性急了，没来得及算准距离，结果从她身边擦肩而过扑了个空。接着又飞来了一只，第三只、第四只、第五只……最后飞来的还是那只灰白色的老雁和那只白色的大个儿。他们都飞得很低很慢。好像他们在狐狸斯密尔身边盘旋、降落，存心让他抓到似的。斯密尔于是紧追不舍，一跳两三米高，结果还是一只也没有抓到。

这是斯密尔有生以来最为懊丧的一天。大雁们接连不断地从他头顶上飞过来飞过去，飞过去又飞过来。这些在德国的荒野田地里养得又大又肥、可口诱人的大雁，一整天都在树林里穿梭不停，而且离他那么近，很多次碰着了他们，可是却抓不着一只来充饥。

冬天还没有过去，斯密尔还记得那些日日夜夜，他那时闲得发慌，四处游荡，连只野兔也找不到。老鼠躲到结了冰的地下，鸡都被关进了笼里。但是，整个冬天的忍饥挨饿都比不上今天一次又一次的失望叫他难以忍受。

斯密尔已经不是只年轻的狐狸了。多少次他被猎狗穷追不舍，多少次子弹从他耳旁呼啸而过。他曾深藏在洞穴里，而猎狗钻进了洞口，差点儿发现他。但是，与今天一次又一次的失败相比，斯密尔曾经历的激烈追逐带来的所有痛苦都算不了什么。

早上这场追逐开始时，狐狸斯密尔看上去很帅气，大雁们看到他时都感到惊讶。斯密尔喜欢展示自己。他的皮毛鲜红，胸脯雪白，鼻子黝黑，尾巴羽毛般蓬松。可是到了傍晚，斯密尔的毛却零乱地耷拉着，浑身是汗，两眼无光，舌头长长地伸到嘴巴外面，嘴里冒着白沫。

下午时分斯密尔已经疲惫不堪，神志不清。他除了飞来飞去的大雁外别的什么也看不见，连阳光照在地上的斑斓阴影他都当成是大雁，要扑上去。

大雁们不停地飞呀飞，整整一天都在不停地折磨着斯密尔。斯密尔精疲力竭、焦躁不安继而歇斯底里，大雁们却无动于衷、毫不怜悯。尽管他们知道他已经眼花缭乱，看不清他们，只能跟在他们的影子后面乱跳，他们却仍旧继续戏弄着他。

直到最后斯密尔瘫倒在一堆干树叶上，浑身发软、有气无力，几乎就要断了气时，他们才停止了对他的戏弄。

"现在你该明白了吧，狐狸，谁要是敢惹科博内凯斯山来的阿卡，他会有什么下场！"他们在他耳边叫喊着，这才饶了他。

尼尔斯奇遇

在 农 庄

三月二十四日 星期四

就在这几天，斯康耐发生了一件怪事，在当地引起了轩然大波，报纸上也炒得沸沸扬扬。不过很多人认为这件事只是虚构出来的，因为谁也说不清究竟是怎么回事。

事情是这样的：有人在瓦姆布湖岸边的榛树丛里逮住一只母松鼠，把她带到了附近的一个农庄。农庄上的老老少少都很喜欢这只美丽的小动物，她长着粗而蓬松的尾巴、聪明好奇的眼睛和机敏灵巧的小脚。他们准备整个夏天都拿她来消遣，观赏她那轻盈的动作、啃剥坚果的灵巧样子以及滑稽逗人的游戏。他们很快就修理好一个旧松鼠笼子，里面有一间绿色小屋和一个铁丝吊环。这间小屋有门有窗，可以当做松鼠的餐厅和卧室。于是大家用树叶在里面铺了一张床，并放进去一碗牛奶和几个榛子。那个铁丝吊环就是她的游戏室，她可以在上面跑跑跳跳、爬上爬下和打打秋千。

大家都以为他们给母松鼠安排得挺好的，可是奇怪的是，她看上去并不喜欢这里。相反，她既伤心又生气地蹲坐在小屋子的角落里，不时地发出哀怨的尖叫。她碰都不碰那些吃的，一次吊环也没有玩过。"可能是因为她被吓着了，"农庄上的人说，"等明天习惯了，她就会又吃又玩了。"

当时，农庄上的妇女们正忙着准备一次盛宴，抓到松鼠的那一天她们正忙着烤面包。不知道是因为她们运气不好面团没有发酵，还是因为她们磨磨蹭蹭，反正天黑后很长时间她们还在那里忙个不停。

厨房里当然是一派忙忙碌碌、热热闹闹的景象，可能也就没有人顾得上去想那只母松鼠，或者操心她怎么样了。然而，农庄里有位老奶奶，因为年纪太大，烤面包帮不上忙。她自己也知道这一点，可是又不乐意啥事不管。她心情很不好，也不想上床睡觉，就坐在起居室窗下往外张望。

厨房里的人嫌屋里太热，就开着房门，灯光照到了院里，整个院子一片通亮，老奶奶连对面院墙上的裂缝和洞孔都能看得一清二楚。她也看见了那个松鼠笼子，笼子正好挂在光线最亮的地方。她看到那只松鼠从小房里跑出来蹿上吊环，再从吊环上跑回小房里，一整夜来来回回，一刻也没有停过。她觉得很奇怪，那个小动物怎么这样烦躁不安，她想肯定是因为灯光太亮使她难以入睡。

院子的牛棚和马厩之间有个宽宽的、有顶棚的大门，那里也被厨房里透出来的灯光照得通亮。夜深了，老奶奶看见有个巴掌高的小人儿从大门里小心翼翼地溜了进来。他穿着皮裤和木鞋，和别的干活人一样。老奶奶马上明白过来这是个小精灵，她一点儿也不害怕。她一直听说小精灵是住在马厩里的，可是从来没有亲眼见过，而且他在哪儿出现，就会给哪儿带来好运。

小精灵一走进铺着石板的院子，就径直朝松鼠笼子跑过去。笼子挂得很高，他够不着，于是就去库房找来一根棍棒，把棍棒靠着笼子竖起来，就像水手攀爬缆绳一样爬了上去。爬到笼子跟前，他摇晃那间小绿房子的门，好像是想打开门。然而老奶奶坐在那儿一动不动，因为她知道孩子们担心邻近庄园的孩子偷走松鼠就在门上加了一把挂锁。老奶奶注意到，小精灵打不开门，这时松鼠钻出来跑到铁丝吊环上，他俩在那儿商量了老半天。小精灵听完被关在笼子里的那只小动物的话，就顺着木棍滑到地上，从那扇大门跑了出去。

老奶奶没想着那天夜里再见到小精灵，可是她依然坐在窗户旁边。不一会儿，小精灵却又回来了。他匆匆忙忙地往回赶，直奔向松鼠笼子，老奶奶觉得他的双脚简直好像就没有沾着地。老奶奶凭她那双远视眼清清楚楚地看见他，而且看见他双手都拿着东西，但是究竟拿的是什么东西她却看不清楚。他把左手里拿的东西放在石板地上，带着右手里的东西爬到了笼子上。他用木鞋使劲地踢那扇小窗户，玻璃被踢碎了。他把手里的东西递给了母松鼠，然后又滑下来，拿起刚才放在地上的东西又爬了上去。他又立刻跑了出去。他跑得飞快，老奶奶的目光差点儿追不上他。

这时，老奶奶在屋里再也坐不下去了。她慢慢地走到院子里，站在水泵的阴影里等待那个小精灵。家里喂养的那只猫当时也发现了他，而且觉得好奇。猫儿蹑手蹑脚地走过来，停在墙脚下，离亮光大约两三步远。在这个春寒料峭的三月夜里，老奶奶和那只家猫耐心地等待了很长时间。老奶奶正想着转身回屋，就在这时却听见石板地上嗒嗒的响声，只见那个小精灵一路小跑又回来了。像上次一样，他两只手都拿着东西，而手里的东西一边吱吱叫一边蠕动。这时老奶奶才恍然大悟。她明白了，原来小精灵跑到榛树丛里去把松鼠妈妈的孩子们找来了，他要把他们送给母松鼠，免得他们饿死。

为了不去打扰他们，老奶奶站在那儿一动也不动，小精灵似乎也没有看见她。

他刚要把一只小松鼠放在地上，把另一只送上笼子的时候，忽然瞧见那只家猫的绿色眼睛就在他身边闪闪发亮。他站在那儿，一时之间没了主意，双手各托着一只小松鼠。

他回过头来四处张望，这时他看到了那位老奶奶，就毫不迟疑地走过去把一只小松鼠高举起来递给了她。

老奶奶不愿意辜负他的信任，她弯下腰去，把小松鼠接了过来，托在手里，一直等到小精灵爬上去把他手里的那只递进笼子里，又下来拿走让她照看的那只。

第二天早晨，农庄上的人聚在一起吃早饭时，老奶奶再也憋不住了，便讲起了她昨天夜里亲眼见到的事情。大家听后都笑她，说那只不过是她做了一个梦。再说这么早的季节里也没有幼松鼠。

然而她对自己亲眼看见的那些事情非常肯定，并请他们去看一看松鼠笼子。他们真的去看了。在松鼠卧室里树叶铺成的小床上，果然躺着四只半光着身子、眼睛还没有完全睁开的幼松鼠，生下来至少有两天了。

当农庄主人亲眼看见那几只幼松鼠之后，他说道："不管这件事情究竟是怎么回事，可是有一点是肯定的，不管是对动物还是对人来说，我们农庄上的人这么做都是一件不太光彩的事情。"他说着就把那只母松鼠和那几只幼松鼠都掏了出来，放进老奶奶的围裙里。

"你把他们送回榛树丛里去吧，"他吩咐说，"让他们重新获得自由！"

这件事情很快在这一带传开了，甚至还登在报纸上。不过大多数人还是不愿意相信，因为他们解释不了怎么会发生这样的事情。

威特斯考沃尔

三月二十六日　星期六

两天后，又发生了一件怪事。一天早上，一群大雁飞来，他们降落在斯康耐东部离威特斯考沃尔大庄园不远的草地上。雁群里有十三只常见的灰色大雁和一只白色的雄鹅，鹅背上还驮着个小人儿。

他们这时已经离波罗的海很近了，大雁们落下来的那片草地是海边常见的沙地。看起来过去这一带是流沙，人们不得不固定流沙，所以在周边可以看到大片大片的人工种植的松树林。

大雁们寻觅了一会儿食物，这时几个孩子沿着沙地走了过来。那只放哨的大雁立即拍打着翅膀呼啦一声冲上天空，以便使得整个雁群都明白即将发生危险。所有大雁都飞了起来，但是那只白鹅却依然若无其事地在地上走来走去。当他看到别的大雁腾空而飞时，他抬起头朝他们高喊道："你们用不着见了他们就逃跑，他们只不过是几个孩子。"

骑在白鹅背上飞行的那个小人儿，这时正坐在树林边的一个小土丘上，从松球里剥松仁。孩子们离他非常近，他就没敢横穿草地到白鹅那边去，而是躲到一片蓟菜的大枯叶底下，同时向白鹅发出了报警的喊叫。可是，那只白雄鹅显然已拿定主意不愿表示胆怯。他还是照样在地里走来走去，连孩子们朝哪个方向走来都不看一眼。

然而，孩子们从路上走下来，越过田地，离雄鹅越来越近。当他终于抬起头来看时，他们已经来到了他的身边。他惊慌失措，竟然忘记了自己会飞，只顾在地上跑来跑去，躲避孩子们的追逐。孩子们在后面紧追不放，把雄鹅赶进了一个坑里，抓住了他。其中那个最大的孩子把他夹在腋窝下带走了。

躲在蓟菜叶底下的那个小人儿看到这一切，他立刻跑了出来，好像是要把雄鹅从孩子们的手里夺回来。但是他马上又想起来自己是那么弱小无力，于是就扑倒在小土丘上，紧握双拳在地上捶打起来。

雄鹅拼命地呼救道："大拇指，快来救我！大拇指，快来救我！"本来焦急万分的小人儿又大笑起来，"哈哈哈，我倒成了能帮助别人的人啦！"他说道。

不管怎样，他还是爬起来去追赶雄鹅了。"我帮不了他，"他说，"最起码我要看看他们要把他带到哪里去。"

孩子们早就走了，不过盯住他们对他来说并不难。可是后来他们走进了一个峡谷，那里有一条小溪缓缓流着。他不得不沿着小溪转悠了很久，才找到一个狭窄的地方跳了过去。

他走出峡谷时，那几个孩子早已经不见了踪影。不过，他还是能够在一条通向树林的小道上看到他们的脚印。于是他就继续追赶。

不久，他来到一个十字路口，孩子们肯定是在这里分手的，因为两个方向都有脚印。

这一下男孩绝望了。可是就在这时,他在一个长满了灌木丛的小土丘上看到一小根白色的鹅毛。他明白了,那是雄鹅扔在路边来告诉他自己被抓走的方向的,所以他又继续向前找。他沿着孩子们的脚印穿过整个树林。他虽然没有看到雄鹅,但是当他要迷路时,总会有一根白色小鹅毛为他指路。

男孩放心地跟踪那些鹅毛继续向前追。沿着鹅毛指引的方向他走出了森林,穿过两三块草地,踏上一条道路,最后终于来到一条林荫大道。林荫大道的尽头耸立着红砖砌成的山墙和塔楼,上面的边沿儿和装饰物闪闪发亮。男孩一看到眼前是个大庄园,便知道了雄鹅的命运。"不用说,孩子们已经把雄鹅带到这里卖了,说不定他已经被杀了。"他自言自语道。可是他好像没有得到证实还不死心,于是又鼓足勇气向前跑过去。在林荫大道上他没有遇见一个人,这正是他求之不得的,因为像他这副模样,是唯恐被人瞧见的。

他来到的这个庄园雄伟壮观、古典质朴,四周平房环绕成一个庭院。东边是一个通向院里的高大拱门。男孩毫不犹豫地一路跑来,可当他来到跟前却停了下来。他不敢再往前走,一动不动地站在那里,不知道接下来该怎么做才好。

正当小人儿手指按着鼻尖沉思的时候,忽然听到身后传来了一阵脚步声。他回头一看,只见一大群人从林荫大道上走了过来。他赶忙躲到拱门旁边一个水桶的背后藏了起来。

走来的这群人原来是一所平民中学的二十来个年轻男生,他们出门远足来到这里。有一位教师陪同着他们。他们来到拱门前时,那位教师让他们先在外面稍等片刻,他自己走进去问问,是不是可以参观一下威特斯考沃尔城堡。

刚来的这群人又热又累,好像走了很远的路。其中有个人实在是渴得厉害,便走到水桶旁弯下腰去喝水。他脖子上挂着一个锡皮的植物标本罐。显然他嫌带着它喝水碍事,就摘下来撂在地上。撂下去的时候锡皮罐的盖子张开了,可以看见里面放着几枝春天开的花。

那个植物标本罐正好就撂在男孩面前,他觉得这正好是个进入城堡去弄清楚雄鹅下落的机会。于是他迅速溜进这个植物标本罐,在银莲花和款冬花底下严严实实地藏了起来。

他刚藏好,那个年轻人就把标本罐捡了起来,挂到脖子上,并且啪嗒一声盖上了盖儿。

这时那位教师回来了。他告诉大家说可以到城堡里去参观。他先把学生们带进城堡的院里,然后停下来向他们讲解起这座古老的城堡来。

他向学生们讲述,当初第一批聚居在这个国家的人们,不得不居住在山洞里,后来住在用兽皮缝起来的帐篷里,再后来居住在树枝搭成的棚子里。经过漫长的岁月,人们才学会用树干盖起木屋。接下来不知又过了多少时间，经过艰苦的劳动，人们才从盖只有一间房的小木屋学会建造像威特斯考沃尔那样有上百间房的大城堡。

这群人终于走进了城堡。男孩本来想着找个机会从植物标本罐里溜出来，可是他错了。因为那个学生一直背着那个罐子，男孩也不得不跟着他走遍所有的房间。他们参观得很慢，因为老师每走一步都要停下来讲解一番。

他们走进一间挂着烫金兽皮壁毯的房间，教师讲起人类最初是怎样装饰室内墙壁的。当他走近一张旧时的全家福照片时，他就谈起不同时代服装的变化。当他走进宴会厅时，他就描述起古时婚庆的仪式和安葬的礼仪。接下来，他逐一介绍了一下曾在这座城堡里居住过的出色的男男女女。

在整个这段时间里，男孩躺在那儿一动不动。他过去调皮捣蛋，曾把爸爸或者妈妈关在地窖里，现在他知道了这是一种什么样的滋味，因为这位教师一直讲了好几个钟头才结束。

背着他的那个学生这时又渴了，于是他悄悄地溜到厨房里去找水喝。男孩开始动起来，无意之中用力顶撞了一下植物标本罐的盖子，结果盖子张开了。植物标本罐的盖子总是会自动弹开，所以那个学生没有太在意，随手就把盖子盖上了。可是女厨师却问他标本罐里是不是放了一条蛇。

"没有哇，我只在里面放了几枝花草。"那个学生答道。

"里面肯定有东西在爬动。"女厨师坚持道。

那个学生就把盖子打开，想让她看看她错了。"你自己来看看是不是……"

他还没有说完，那个男孩不敢再待在标本罐里，就纵身一跃跳到地板上，一下子冲出门外。女仆们没有看清是什么东西在跑，不过她们还是从厨房里追了出来。

那位教师依然站在那里不停地讲着，突然一阵高声呼喊打断了他。"抓住他！抓住他！"厨房里跑出来的那些人喊道。所有的学生也都去追赶那个比老鼠蹿得还快的小人儿。他们想在大门口堵住他，可是要抓住这么个小人儿也不是一件容易的事情。小人儿幸运地逃到室外。

男孩没有敢往那条宽敞的林荫大道方向跑，而是转身朝着另一个方向跑了。他穿过花园来到后院。那些人大叫大笑着一直追赶着他。可怜的小人儿拼命地奔跑，但是这群人似乎还是要抓住他。

当他跑过一幢雇工住的小屋时，他听见有一只鹅在叫，并看见台阶上有一根白色的鹅毛。啊！雄鹅就在这里面！原来他之前走错了路。这时他已经顾不上在后面追赶的那些女仆和男生了，爬上台阶，冲进门廊。可是他不能再往前走了，因为房门锁着。他听见雄鹅在里面啼叫着、呻吟着，但是他却打不开门。后面追赶的人越来越近，而屋里的雄鹅哀号得也越来越凄惨了。危急之中，男孩终于鼓足勇气，使出了全身力气敲门。

一个小孩子打开了门。男孩往屋子里一看，只见地板的中央坐着个女人，手里紧紧抓着雄鹅，正要剪掉他翅膀上的羽毛。雄鹅是她的孩子捡回家的，她并不想伤害他，只不过想把他留着跟家里的鹅一起喂养，剪短雄鹅的翅膀，他就不能再飞走了。雄鹅并没有遭受太大的不幸，但是却拼命地哀叫着。

幸亏那个女人还没有开始剪。就在这时门被打开，小人儿就站在门槛上。像他这副模样，那个女人从没有见过。她心想肯定是小精灵现身了，惊慌中吓得扔掉剪刀，双手扣在一起，忘记抓住雄鹅。

雄鹅一觉得自己被放开了，就立即跑向门口。他不停地向前飞奔，并顺势啄住男孩的衣领带走了他。在台阶上他张开翅膀飞向天空；与此同时，他的脖子优美地往后一扭，把男孩放到了他那羽毛平滑的脊背上。

他们就这样飞走了，整个威特斯考沃尔的人们都站在那儿，仰头凝视着。

在奥维德修道院公园里

又是一个星期天到了，男孩被施魔法已经有一个星期了，而他还是那么小。

不过，他看起来已经不再为此而烦恼了。星期天下午，他蜷曲着身子，坐在湖边一大片茂密的杞柳丛里，吹奏起用芦苇做成的口笛。他身边的灌木丛里挤满了山雀、燕雀和椋鸟，唧唧啾啾地唱着，他试图模仿着鸟儿们的曲调吹奏。可是男孩对吹奏方法还没有入门，吹得一塌糊涂，那些音乐大师们听得羽毛直竖了起来，失望地叹息着和拍打着翅膀。男孩对于他们的焦躁感到很好笑，忍不住哈哈大笑起来，连手中的口笛都掉到了地上。他又试了一次，可是仍然吹不好。所有的小鸟都尖叫道："大拇指，你今天吹得比往常更糟糕。你吹得音都走了调！你究竟在想些什么，大拇指？"

"我在想些别的事情。"男孩回答说。这是事实，他坐在那里，老在琢磨自己究竟还能同大雁们在一起待多久。现在他已经习惯了这种生活，跟着大雁们旅行，他就可以整天闲逛，逃避劳动和读书，不会再因为懒惰而受责备。唯一的顾虑就是寻找吃的东西，但他现在吃得很少，肯定有办法填饱肚子。

突然，男孩扔掉口笛，从灌木丛中跳出来。原来他已经看见阿卡率领着所有的大雁排成一队朝他这边走来。他们的步伐异乎寻常地缓慢而庄重。男孩马上就明白了，他将会知道他们究竟打算拿他怎么办。

大雁们终于停下来，阿卡说道："你有理由怀疑我，大拇指，你从狐狸斯密尔的魔掌中将我救出来，而我却没有对你说过一句感激的话。我是那种宁愿用行动而不用语言来表示感谢的人。我曾派人捎话给那个对你施魔法的小精灵。一开始，他连听都不愿听那些想要让他把你重新变成人的话。我一而再、再而三地捎话给他，告诉他你在我们这里表现是如何得好。他终于答应说，只要你一回到家里，就会重新变成跟原来一样的人。"

事情真是出乎意料，阿卡刚开始讲话时，男孩还是高高兴兴的。而当她说完时，他竟然变得那么伤心！他一句话没有说，扭过头去哭了起来。

"这究竟是怎么啦？"阿卡问道，"你好像是希望我做比现在更多的事情来报答你。"

然而，男孩心里想的却是，他将失去那些无忧无虑的日子和逗笑的戏谑，还有冒险、自由、高空中的飞翔。他伤心地大声哭了起来。

"我不想重新变成人，"他哭道，"我想跟你们到拉普兰去。"

"我可告诉你，"阿卡说，"那个小精灵脾气很大，我担心如果你这次不接受他的好意，那么下一回你再去求他那就难了。"

这个男孩真是古怪——他从生下来就没有喜欢过任何人。他不喜欢自己的爸爸和妈妈，不喜欢老师和同学，也不喜欢邻居家的孩子。他们想要他做的所有的事情，不管是干活儿还是玩耍，他都觉得厌倦。所以，他现在对谁都不挂念留恋。

勉强跟他合得来的人只有看鹅姑娘奥萨和小马茨，他俩跟他一样是在地里放鹅的孩子。不过，他也不是真心喜欢他们。不，远远不是！"我不想变成人，"男孩哭喊道，"我想跟你们一起到拉普兰去。就是因为这，我才规规矩矩了整整一星期。"

"只要你愿意，我也不想拒绝你跟着我们旅行，"阿卡说，"可是你要先想明白，你是不是更愿意回家去。说不定有一天你会后悔的。"

"不会的，"男孩说，"没有什么可后悔的。我从来没有像跟你们在一起这么开心过。"

"好吧，你想留下来就留下来吧。"阿卡说。

"谢谢！"男孩回答说，他高兴得哭了起来，就像他刚才伤心得哭泣一样。

格丽敏治城堡

黑老鼠和灰老鼠

在斯康耐东南部离大海不太远的地方，有一座名叫格丽敏治的古城堡。这是一幢高大而又坚固的石砌建筑物，从平原上几英里外就能一眼望见它。这座城堡虽然只有四层楼高，但却非常雄伟壮观，位于同一庄园的一幢普通民房跟它一比，就像是小孩儿玩耍的小屋一样。

这幢石砌大厦有着厚厚的墙壁和天花板，所以它里面除了厚墙之外，几乎没有多大空间。狭窄的楼梯，小小的门廊，而且房间也极少。为了保持墙壁的坚固，只在最上面两层墙上开了尽可能少的几扇窗户，下面两层连一个窗户都没有。在古老的战争年代，人们就喜欢把自己封闭在这样一幢坚固高大的房屋里，就像现在人们在寒风刺骨的严冬愿意缩在皮大衣里一样。可是到了和平年代，人们便不再愿意居住在古城堡的阴暗寒冷的石房里。他们早就舍弃了格丽敏治城堡，搬进透光通气的住宅里去了。

在尼尔斯跟随大雁们漫游的时候，格丽敏治大楼里已经没有人居住了，但是这幢房子却并不因此而缺少住户。每年夏天，屋顶的大巢里就会住着一对白鹳，在阁楼的巢里住着一对猫头鹰，在隐秘的过道里住着蝙蝠，在厨房的炉膛里住着一只老猫，在地窖里面则居住着几百只黑老鼠。

老鼠历来不受其他动物的尊重，可是格丽敏治城堡里的黑老鼠却是个例外。其他动物在谈到他们时总是心怀敬意，因为他们在同自己的敌人打仗时表现得非常英勇，在自己的种族惨遭横祸时表现得非常顽强。他们属于一个曾经数量众多、势力强大的老鼠种族，而现在却临近种族灭绝的境地。很长一段时间里，斯康耐乃至整个国家都被他们霸占着。在每一个地窖，每一个阁楼，每一个食物储藏室、牛棚和谷仓，每一个酿酒厂和磨坊，每一座教堂和城堡，在人类建起的每一个建筑物里都可以找到他们的踪迹。但是如今他们却都被赶了出来，而且几乎被灭绝。偶尔在某个古老偏僻的地方还可以碰到几只，但是任何其他地方都没有格丽敏治城堡里聚集得那样多。

一般来说，一种动物灭绝，罪魁祸首往往是人类，而这一次却并不是这样。诚然人类同黑老鼠进行过斗争，但是给他们造成的伤害却是微不足道的。使得他们濒于灭绝的是他们本族的另一种动物——灰老鼠。

灰老鼠并不是像黑老鼠那样从远古时代就生活在这块土地上。一百多年前，几个贫穷的移民从利比亚乘着一艘帆船，在瑞典西南部的马尔默登陆，灰老鼠也随之而来。初来乍到，他们无家可归，几乎快要饿死。这群可怜虫先在港口附近安下身，在桥下的支柱之间游来游去，靠吃被人倒在水里的渣滓填饱肚皮。那时他们根本不敢到黑老鼠控制的城市里去。

然而，随着灰老鼠数量的逐渐增多，他们也越来越胆大。他们先是搬进荒乱的地方和被黑老鼠舍弃的旧危房里。他们到排水沟和垃圾堆里去寻找吃的，以那些黑老鼠不屑于问津的垃圾来充饥。他们吃苦耐劳，随遇而安，无所畏惧。几年之内，他们就变得势力非常强大，竟然将黑老鼠赶出马尔默。因为灰老鼠对打仗毫不畏惧，所以他们从黑老鼠那里逐个夺取了阁楼、地窖和仓库，让黑老鼠一个个活活饿死，或者干脆咬死他们。

夺取马尔默之后，他们就小股部队或大批人马地向各地进军以占领全国。令人费解的是，为什么黑老鼠没有召集起一支讨伐大军，趁灰老鼠数量还不多时，就将他们一网打尽？然而，黑老鼠过分确信自己的势力强大，根本不相信他们有可能失去权势。他们高枕无忧地享用着自己的财富，而灰老鼠却从他们手中夺走了一个又一个庄园、一座又一座城市。黑老鼠们有的被饿死，有的被赶走，而有的被整死。在斯康耐，除了格丽敏治城堡之外他们已经没有了立足之地。

那幢老城堡的墙壁是如此坚固，并且穿墙而过的老鼠通道也如此之少，黑老鼠才得以成功地守住它保护自己，抵御住了灰老鼠的攻势。日复一日，年复一年，入侵者和守卫者之间的战争从没有停止过。黑老鼠严阵以待地守卫着，视死如归地战斗着，再加上那幢老城堡的坚固，他们一直占领着这个地方。

不得不承认，在黑老鼠得势的时候，别的动物也曾经对他们避而远之，就像如今对待灰老鼠那样——这也合乎情理。他们曾扑到那些被捆绑的可怜的俘虏身上去折磨他们，啃噬尸骨，偷走穷人地窖里的最后一个萝卜，啃掉正在睡觉的鹅的脚掌，从母鸡身边偷走鸡蛋和鸡雏，总之，他们的确干过上千件坏事。然而自从他们遭到不幸以来，所有这些事情似乎都被忘记了。对于这个族类的最后一批能够同敌人这么长期地斗争着，没有哪一个动物不由衷地表示敬佩的。

住在格丽敏治庭院里及其四周一带的灰老鼠们也依然坚持不懈地进行着战斗，他们窥视着每一个合适的机会去进攻这座城堡。有人会以为，既然灰老鼠已经占领了全国各地的其他地方，那么他们就应该让这一小队黑老鼠在格丽敏治城堡里安安生生地待下去。然而可以肯定，灰老鼠是绝不会这么想的。他们常说，能不能战胜黑老鼠是一个荣誉的问题。不过，了解灰老鼠的都清楚，那是因为人类把格丽敏治城堡当做了粮仓，因此灰老鼠不占领它是不会罢休的。

白鹳

　　一天清早，露宿在瓦姆布湖里浮冰上的大雁们被来自空中的大声喊叫惊醒了，"呱——呱——呱——"叫声在空中回荡。"大鹤垂艾纳特要我们向大雁阿卡和她率领的雁群致敬。明天在库拉山举行鹤舞表演大会，欢迎诸位光临。"

　　阿卡马上仰起头来回答道："谢谢并请向他致意！谢谢并请向他致意！"

　　说完鹤群向前飞去。大雁们久久地倾听着，鹤群一边飞行一边对每一块田地和每一座树林覆盖的山丘发出呼唤："明天在库拉山举行鹤舞表演大会，大鹤垂艾纳特欢迎诸位光临。"

　　大雁们对这个邀请非常高兴。"你运气真好，"他们对白雄鹅说，"竟然可以观看库拉山上举行的鹤舞表演大会了。"

　　"看鹤们跳跳舞就那么了不得吗？"白雄鹅问道。

　　"这是你做梦也难得的呀！"大雁们回答说。

　　"我们要想想，明天大拇指怎么办，我们到库拉山去的时候，不能让他受到什么伤害。"阿卡说。

　　"大拇指不能单独留在这里！"雄鹅说，"要是大鹤们不让他去看舞蹈表演，我就留下来陪着他好啦。"

　　"直到如今还没有哪一个人被允许去参加库拉山的动物集会，"阿卡说道，"所以我不敢带大拇指去。不过这件事在今天这一整天里还可以慢慢商量，现在首要任务是先去找点儿吃的。"

　　说完阿卡发出了起程的信号。这一天她为了躲避狐狸斯密尔，仍旧往远处飞去寻找食物，她一直飞到格丽敏治城堡南边那片湿软的草地上才降落下来。

　　整整一天，男孩都坐在一个小池塘的岸边吹着芦苇口笛。他因为不能去看鹤舞表演大会而闷闷不乐，然而又不能向雄鹅或者别的大雁说。

　　他心里非常难过，因为阿卡还是不信任自己。一个男孩宁可不重新变成人，而跟随这些一无所有的大雁们到处漂泊，大雁们当然应该明白，他是不会背叛他们的。再说他们也应该理解，他为了跟随他们已经做出了那么大的牺牲，那么他们就应该义不容辞地让他看到所有的奇妙事情。

"我不得不直截了当地向他们说出我的想法。"男孩心想。但是一个又一个小时过去了，他还是没有付诸实施。这事儿听起来似乎有点儿奇怪，其实不然，因为男孩确实对那只领头老雁产生了敬意，他觉得要把自己的意志强加给她不是一件容易的事情。

在那块湿软草地的另一边，也就是大雁们正在觅食的地方，有一道很宽的石墙。傍晚时分，男孩终于抬起头来同阿卡讲话时，他的目光落到了那堵墙上。他吃惊地发出了小声的尖叫，所有的大雁马上抬起头来，凝视着一个地方。一开始，雁群和男孩都纳闷儿，怎么围墙上的灰色石头长出了腿脚而且在跑动。可是很快他们就看清楚了，原来那儿跑着一群老鼠。他们跑得很快，而且密密麻麻地挤在一起向前飞跑，一排接着一排，数目很多，以至于很长一段时间把整个墙垣都遮盖住了。

男孩本来就害怕老鼠，在他还是个高大粗壮的人时就是这样。而现在他变得这么小，两三只老鼠就能要了他的性命，他该有多么害怕啊！当他站在那里观看时，他浑身发抖，脊梁骨上透出一阵又一阵的凉气。

奇怪的是，大雁们也和他一样地厌恶老鼠。他们没有同老鼠讲话；在老鼠走过后，他们都一个劲儿地抖动羽毛，好像是羽毛里被溅进了老鼠尿。

"那么多的灰老鼠一齐出动呀！"从瓦斯捷尔来的埃克希说，"这可不是好兆头。"

这时男孩打算趁机对阿卡说出自己的想法，他觉得她应该让他跟着一起去库拉山，但是没能说成，因为突然有一只大鸟飞落到大雁群中。

一看这只鸟，就会让人认为他的身躯、脖子和脑袋都是从一只小白鹅那里借来的。然而除此之外，他却长着一对又大又黑的翅膀、红色的长腿，厚厚的喙相对于那个小脑袋来说显得太大，坠得脑袋往下垂，这一来使他的模样显得忧心忡忡。

阿卡赶紧整整翎翼，频频鞠躬致意后才迎了上去。她对于在这么早的春季就在斯康耐一带见到他并没有感到意外，因为她知道在雌鹳飞越波罗的海之前，雄鹳往往先行一步，来检查一下他们的窝巢是不是在冬季遭到了破坏。然而她不知道白鹳为什么来找她，因为鹳鸟素来是只跟自己的同族往来的。

"我想您的住所没有什么损坏吧，埃尔曼瑞奇先生。"阿卡说道。

白鹳满腹牢骚，说他们在斯康耐几乎寻觅不到食物，斯康耐的人们正夺取着他的全部家产，因为他们耕种了他的沼泽地和低洼地。他打算从这个国家迁出去，再也不回来了。

然后白鹳问大雁他们是否看见灰老鼠们向格丽敏治城堡挺进。阿卡回答说她已经看到了那群坏家伙，白鹳就开始对她讲起了这些年来保卫这座城堡的英勇的黑老鼠们。"可是今天夜里格丽敏治城堡就要落入灰老鼠的手中啦！"白鹳叹息着说。

"为什么就在今天夜里呢，埃尔曼瑞奇先生？"阿卡问道。

"唉，那是因为差不多所有的黑老鼠昨天晚上都动身到库拉山去啦，"白鹳说，"他们以为所有别的动物也会赶到那里去的。可是你们看见了吧，灰老鼠们却留在家里。趁今天晚上大楼里只剩下几只体弱而没有到库拉山去的老家伙看家时，现在他们正集合起来去攻占城堡。他们可能会达到目的的。可是我已经同黑老鼠在那里和睦相处多年了，如今要同他们的敌人居住在一起，我不乐意。"

阿卡现在明白了，原来白鹳对灰老鼠的所作所为感到十分气愤，所以找她发一通牢骚。然而从白鹳的习性来看，他肯定没有采取行动以阻止这场灾难的发生。

"您向黑老鼠报信了吗，埃尔曼瑞奇先生？"她问道。

"没有，"白鹳回答说，"送信也没用。等不到他们赶回来，城堡就会被攻占的。"

"您先不要这么肯定，埃尔曼瑞奇先生，"阿卡说道，"据我所知，有一只上了年纪的大雁，也就是在下，很愿意制止这种无赖行为。"

在阿卡说这番话时，白鹳抬起头来端详着她。他这副神情并不奇怪，因为阿卡既没有利爪也没有尖喙可以用来战斗；再说，大雁是白天活动的鸟类，天一黑就不由自主地睡着了，而老鼠却是在深夜里开战的。

然而阿卡显然已经下定了决心要援救黑老鼠们。她把从瓦斯捷尔来的埃克希叫到跟前，吩咐他带着大雁们飞回到瓦姆布湖去。大雁们议论纷纷时，她威严地说："我认为，为了我们大家的最大利益，你们要听从我的安排。我必须飞到那幢大石房子去，如果你们都跟着去，庄园上的人们肯定会看见我们，并且会开枪打落我们。在这次飞行中，我只想带着大拇指。他会对我有很大帮助的，因为他有一双很好的眼睛，而且夜里可以不睡觉。"

男孩心里已经别扭了一天。他听到阿卡这番话，便把腰杆挺得笔直，走上前去，背着双手，鼻孔朝天，他打算说自己根本就不想去参加同灰老鼠的战斗。她可以另请高明。

可是当男孩刚一露脸，白鹳也马上动起来。他本来还按着白鹳通常的站姿站立着，低着脑袋把喙贴在脖子上。而这时从他喉咙深处发出一阵叽叽咕咕的响声，仿佛他要笑出声来。他闪电般的把嘴往下一伸便逮住了男孩，把他抛到两三米高的空中。如此反复抛了七次，男孩尖叫着，大雁们也喊道："您这是干什么，埃尔曼瑞奇先生？他不是只青蛙，而是一个人，埃尔曼瑞奇先生！"

白鹳终于把男孩放到地上，一点儿也没有伤着他。于是他对阿卡说："现在我要飞回格丽敏治城堡去了，阿卡大妈。我出来时，居住在那里的所有动物都焦急得要命。您可以相信，当我告诉他们说，大雁阿卡和那个小人儿大拇指要来救他们，他们一定会喜出望外的。"

说完，白鹳伸长脖子，张开翅膀，就像一支离弦的箭一般飞走了。阿卡知道他这样做是想戏弄自己，但她却一点儿也不在意。她等男孩把被白鹳甩掉的木鞋找回来穿好后，就把男孩驮到自己背上，去追赶白鹳。为了他自己，男孩没有反对，连一句不愿意去的话都没有说。因为他非常生白鹳的气，他骑在雁背上气得直喘粗气。那个红色长腿的家伙以为他个儿小就什么事情都做不了，他要让他看看，从西威门豪格来的尼尔斯·豪格尔森是个什么样的人。

过了片刻，阿卡就来到了格丽敏治城堡房顶上白鹳的窝巢里。那是一个漂亮宽敞的巢。它的底部是一个车轮，上面铺着好几层草垫和柔细的树枝。这个窝巢年代已久，许多灌木和野草都已经在上面生根发芽了。当雌鹳蹲在窝中央的圆坑里孵蛋时，她不仅可以饱览斯康耐的美丽景色，而且还可以观赏周围的野蔷薇花和长生草。

男孩和阿卡一眼就看出来，这里正在发生的情况使得一切都混乱不堪。在鹳巢边沿上坐着两只灰色猫头鹰，一只长着灰色斑纹的老猫和十来只牙齿很长、眼泪汪汪的年迈的老鼠。这些动物平常是很难如此和睦地生活在一起的。

他们当中没有一个转过头来看阿卡一眼，或者对她表示欢迎。他们什么也不想，只是坐在那里目不转睛地盯着那些冬天光秃秃的田野上到处隐约可见的灰色长线。

所有的黑老鼠都默默不语。显而易见，他们已经陷入了深深的绝望之中，也许他们明白他们既不能保全自己的性命，也不能守住这座城堡。两只猫头鹰坐在那里转动着大眼睛，颤动着眼睫毛，用尖锐刺耳的声音控诉着灰老鼠的残暴罪行，并且说他们不得不背井离乡投奔他方，因为他们听说灰老鼠连他们的蛋和幼雏都不会放过的。那只满身斑纹的老猫断定，他们会把自己咬死的，因为这么多灰老鼠正蜂拥而至。他还不停地责骂着黑老鼠："你们怎么蠢到这种地步，竟然让你们最好的战士离开这里？"他责问道，"你们怎么可以轻信灰老鼠？这是绝对不能饶恕的。"

那十二只黑老鼠无言以对，不过那只白鹳虽然心里也很焦虑，却还是忍不住要逗弄那只老猫。"不必如此惊慌，老猫陶咪，"他说，"难道你没有看到，阿卡大妈和大拇指已经前来拯救这座城堡了吗？你尽管放心吧，他们会成功的。现在我可要睡觉了，而且要美美地睡个好觉。明天我醒来时，格丽敏治城堡里肯定不再有一只灰老鼠。"

男孩对阿卡使了个眼色，示意等白鹳蜷起一条腿站在窝边睡着时他要把他推到地下去，但是阿卡制止了他。她似乎一点儿也不生气。相反，她还自信地说："我这么大年纪，要是解决不了这么点儿麻烦的话，那也太不中用啦。如果整夜可以不睡觉的猫头鹰夫妇愿意为我传递信息，那么我想一切都会顺利的。"

猫头鹰夫妇表示愿意效劳。于是阿卡请雄猫头鹰去找那些外出的黑老鼠，叫他们火速赶回来。她派雌猫头鹰到居住在隆德大教堂的草鸮（xiāo）鸟弗拉敏那里去执行一项非常秘密的任务，阿卡不敢大声说，就小声地说给雌猫头鹰听。

捕　鼠　者

午夜时分，严密搜寻之后，灰老鼠终于找到了一个通往地窖的洞口。洞口位于墙壁上相当高的地方。不过老鼠一个踩着一个的肩膀往上爬，没过多久，他们当中最勇敢的那一个就爬到了洞口，准备闯入格丽敏治城堡——就是在它的墙角下，灰老鼠的许多前辈葬身于此。

那只灰老鼠在洞口停留了一会儿，等待着里面的攻击。尽管守城的主力部队已经外出了，但是灰老鼠估计留在城堡里的黑老鼠是决不会束手待毙的。他胆战心惊地倾听着最细微的动静。但是一片寂静。于是灰老鼠的头领便鼓足勇气，跳进了漆黑的地窖里。

灰老鼠一只接一只地跟着他们的头领跳了下去。他们全都保持寂静，警惕着黑老鼠的伏击。一直等到大批灰老鼠进入了地窖，窖底上再也容纳不下更多的老鼠时，他们才向前挺进。

尽管过去从未踏进过这幢建筑物，但是寻找道路对他们来说并不难。他们很快就在墙内找到了黑老鼠用来爬到上面几层楼的通道。在爬上这些狭窄而陡峭的孔道之前，他们又认真地听了听周围的动静。黑老鼠这样神出鬼没，比起公开交战更叫他们心惊肉跳。当他们安然无

恙地爬上第一层楼时，简直不敢相信自己那么幸运。

他们刚一进门就闻到地上大堆大堆的谷物的香味，不过现在还不是享受胜利果实的时候。他们先仔细地搜索了一遍那些阴森空荡的房间。有的跳进城堡旧厨房地板上的炉灶里，有的险些掉进厨房里间的水井里。每一个狭小的透光孔他们都要仔细搜查，但是一只黑老鼠也没找到。他们在完全占领了这一层楼后，便以同样谨慎的方式向第二层楼进军。他们不得不鼓足勇气艰难地穿过一道又一道墙壁，同时还必须屏住呼吸，心神不定地提防着敌人的袭击。尽管谷堆散发的芳香诱惑着他们，他们还是强忍着，一一搜查早先那些用竖柱加固的卫士们的厨房、他们用过的石桌和炉灶、墙上深嵌的窗龛和地板上的洞孔——从前人们凿开这些洞孔是用来向入侵的敌人浇灌滚烫的沥青的。

直到这时依然没有见到黑老鼠，灰老鼠搜索着来到第三层，爬进了城堡主人宽敞的宴客厅。大厅同城堡里其他房间一样，阴森寒冷且空空荡荡。他们甚至还爬到了只有一间闲置无用大房的最顶层。唯独房顶上白鹳的那个大窝巢他们没想到去搜查一下。也就在这时，雌猫头鹰叫醒阿卡，告诉她，草鸮鸟弗拉敏同意了她的要求，并把她想要的东西送来了。

灰老鼠把整个城堡都仔细彻底搜查了一遍后，才把心放了下来。他们以为黑老鼠已经逃跑，不再抵抗了，于是便兴高采烈地向谷堆扑去。

可是灰老鼠还没来得及咽下嘴里的头几颗麦粒，就听见下面庭院里传来小口哨发出的尖锐刺耳的声音。灰老鼠们抬起头来，忐忑不安地倾听着，他们跑了几步，好像要离开谷堆，但马上又回来继续吃了起来。

小口哨又尖锐刺耳地响了起来，这时不可思议的怪事发生了。一只老鼠、两只老鼠……啊！一大群老鼠丢下谷物，从谷堆上跳下来，抄最近的路径往地窖里跑，以便跑出这幢房子。不过还有很多灰老鼠留了下来，他们回想着占领格丽敏治城堡时所付出的艰辛代价，而不甘心离去。可是当他们再一次听见哨声时，他们不得不服从了。于是他们疯狂地从谷堆里蹿出来，顺着墙里狭窄的通道一溜烟地滑了下去，你踩我，我踩你，滚成一团，争着往外跑。

庭院中央站着一个小人儿，吹着一只小口哨。在他身边，已经围了一大圈老鼠，如醉如痴地聆听着他的吹奏，而且老鼠还在不断地涌来。有一次，他刚把小哨从嘴里拿出来，冲着他们嗤之以鼻，老鼠顿时好像要扑上去把他咬死的样子。可是他一吹起那只小口哨，他们便立即被他征服了。

小人儿一直吹到等所有的灰老鼠都从格丽敏治城堡里撤出来以后，才转身慢步走出庭院踏上大路。所有的灰老鼠都尾随在他后面，因为那只小口哨发出的声音在他们听起来是如此悦耳，使得他们无法抗拒。

　　小人儿走在他们前面，把他们引到了通往瓦尔比的路上。一路上他领着他们拐来拐去，爬过很多篱笆，穿过不少沟渠。无论他走到哪里，那些灰老鼠都不得不跟到哪里。他不停地吹着那只小口哨，它看起来像是用只兽角做成的，不过那只兽角非常小，如今再也见不到有哪一种动物的前额上长着这么小的兽角了。也没有人知道是谁制造的那个小口哨。草鹗鸟弗拉敏在隆德大教堂的一个窗龛里发现了它。她让渡鸦巴塔凯看过。他俩一致认定，这样的小口哨是过去那些捕捉老鼠和田鼠的人制作的。渡鸦是阿卡的好朋友，阿卡从他那里得知弗拉敏有这么一件宝物。

　　老鼠的确无法抗拒小口哨的魔力。男孩从星光洒满大地时就走在他们前面吹着，老鼠们也一直跟着他转悠。他一直吹到天亮，吹到太阳升起；同时大队大队的老鼠仍旧跟在他身后，被他引得离格丽敏治城堡的大谷仓越来越远了。

库拉山鹤舞表演大会

三月二十九日　星期二

　　必须承认，斯康耐省境内虽然耸立着许多巍然壮观的建筑，但是没有哪一幢的墙壁可以跟古老的库拉山的陡崖峭壁相媲美。

　　库拉山低矮而狭长，并不是什么大山或名山。宽阔的山顶上覆盖着树林和耕地，间或还有长满石楠草的荒地，不时还能看见长着石楠草的圆形山丘和光秃秃的山冈。山顶上没有什么奇景可言，看上去同斯康耐别的高地没什么两样。

　　从穿越山顶的大路上走过的人会禁不住感到有点儿失望。可是，如果他离开大路走向山边，顺着峭壁往下看，他会立刻发现值得观赏的美景很多，目不暇接。这是因为库拉山不像矗立在陆地上的其他山脉那样四周环抱着平原和峡谷，而是朝大海之中伸展进去。山脚下没有一寸土地替它抵挡海浪的侵袭，浪涛直接拍打着峭壁，任意冲刷和剥蚀岩壁。因而，悬崖峭壁便被大海和它的助手——风，雕琢成了美不胜收的奇景。那里有深邃狭长的峡谷和在风的不断鞭笞下变得乌黑发亮的岩石岬角；那里有从水面上骤然突起的擎天石柱，还有洞口狭小的幽深岩洞；那里有光秃陡峭的悬崖，还有绿树盈盈的斜坡；那里有小巧玲珑的岬角和海湾，还有被每一次海浪冲刷得起伏翻滚、嘎嘎作响的小鹅卵石；那里有在水面上高高拱起的壮丽石门，还有一些不断被白色浪花吞没的尖石和倒映在墨绿色的平静水中的岩石；那里还有在峭壁上形成的锅形大洞以及巨大的罅隙，引诱着游人进入山中深处去寻找古代库拉人的住所。

　　峡谷和悬崖的上上下下长满了藤蔓。那里也生长着一些树木，但是风力太大，使得它们变成了攀缘植物，这样才可以在山崖上牢牢地扎根。橡树紧贴着地面，它们的树冠像个圆屋顶罩在上面。树干高挑的山毛榉树也只是像一顶顶矗立在峡谷里的用树叶编成的大帐篷。

　　这些奇异的峭壁，加上下面蔚蓝的大海、上面清新的空气，这一切就使得库拉山分

外令人喜爱。夏季里，每天都有大批游客前来游览一番。不过很难说清为什么这座山对动物也有这样大的魅力，以至于他们每年都要在这里举行一次表演大会。每次表演大会之前，牡鹿、雄狍、野兔和狐狸等四足走兽为了避开人类的注意，便在前一天夜间动身去库拉山。在太阳升起之前，他们就全都来到表演会场。这是一片位于大路左边、离最外面的山口不远的长满石楠草的荒地。这片场地的四周环绕着圆形山丘，除了无意闯入的人之外，从外面谁也看不见它。

那些四足动物来到表演场地后便蹲坐在圆形山丘上。虽说这一天是天下太平的一天，任何一只动物都不必担心会遭到袭击，不过各种动物还是按族类聚在一处。这一天，一只幼兔也可以大模大样地走过狐狸聚集的山丘，而不会被咬掉一只长耳朵。

所有的动物都各就各位之后，他们就环顾四周寻找鸟类。聚会的那一天总是晴天。因为灰鹤是优秀的天气预报员，要是这一天会下雨，他们就不会把动物们召集到这里来。虽说这一天是万里晴空，没有任何东西遮挡视线，他们仍然看不到空中飞行的鸟类。真是奇怪，太阳已经升很高了，鸟类早应该在途中了。

终于，灰色的云雀、漂亮的燕雀、斑斑点点的椋鸟和黄绿色的山雀来了，成千上万只麻雀来了，乌鸦、寒鸦和渡鸦来了，黑琴鸡和红嘴松鸡也来了，表演场上的所有动物露出笑颜。

在尼尔斯跟着大雁们遨游的这一年所举行的表演大会上，阿卡率领的雁群姗姗来迟。这没有什么奇怪的，因为阿卡必须飞越整个斯康耐才能抵达库拉山。再说，她一醒来首先要做的事情是出去寻找大拇指，因为大拇指在头一天夜里吹着口哨走了好几个小时，引领着灰老鼠们远离格丽敏治城堡。雄猫头鹰已经带回消息说，黑老鼠将会在日出时及时赶回家来。天亮后不用再吹小口哨，任凭灰老鼠随便行动也不会有什么危险了。

然而，发现男孩、跟在他身后那支队伍并及时俯冲下去、用喙叼起他带到空中的不是阿卡，而是白鹳埃尔曼瑞奇先生。原来白鹳也是大清早就出去寻找他了。当他把男孩驮回自己的窝后，他还为自己头一天晚上的不敬举止向男孩道了歉。

这使得男孩非常开心，他同白鹳成了好朋友。阿卡对他也十分和善，她好几次用脑袋在他胳膊上摩来擦去，并且称赞了他的见义勇为。

但是必须说男孩值得表扬的一点是，他不愿意接受与他的所作所为并不相配的称赞。"不，阿卡大妈，"他说，"你们不要以为我引开灰老鼠是为了帮助黑老鼠，我只不过想向埃尔曼瑞奇先生显示一下我是有能耐的。"

他的话音刚落，阿卡就转过头来问白鹳把大拇指带到库拉山去是否合适。白鹳马上就急切地说让大拇指跟着一起去。"您当然应该带上大拇指一起上库拉山啦，"他说，"他昨天晚上为了我们那么劳累辛苦，我们有幸趁这个机会报答他。我对昨晚自己的失礼行为深感内疚，请一定让我亲自把他一直驮到会场去。"

再也没有比受到聪明能干的人夸奖更令人欣慰的了。男孩觉得自己从来不曾像听到大雁和白鹳夸奖他的时候那样高兴过。

就这样，男孩骑在白鹳背上向库拉山飞去。他们只在途中停留过一次，就是在瓦姆布湖上阿卡同其他大雁会合时，她告诉他们灰老鼠已经被战胜了，然后一齐径直向库拉山飞去。

大雁们降落在预留给他们的那个山丘上。男孩从一个山丘看向另一个山丘。他看到，有个山丘上全是牡鹿头上的角，而另一个则挤满了苍鹭的颈羽；狐狸聚集的山丘是红色的，而老鼠的那个山丘则是灰色的；黑色渡鸦在山丘上不停地呱呱啼叫；云雀在山丘上一刻也不安静，不停地跳向空中，欢快地鸣唱。

按照库拉山的惯例，这一天的表演嬉戏以乌鸦的飞行舞开场。他们分为两群，面对面地飞行，相遇后转身开始下一轮。这样反反复复了很多遍，对于不熟悉其舞蹈规则的观众来说，这就显得太单调了。乌鸦对自己的舞蹈感到非常自豪，然而其他动物却非常庆幸这种舞蹈终于结束了。

乌鸦刚一跳完，野兔们就连蹦带跳地上场了。他们长长的一大串涌上来，也没有个秩序。有时是单个表演，有时三四只跑在一起。所有的野兔都竖起前腿向前跑，他们跑得飞快，长耳朵朝着各个方向摇来晃去。他们一边跑一边旋转一边蹦跳，有时还用前爪拍打后爪嘭嘭直响。有的一连串翻了许多筋斗，有的把身子弯成圈，车轮般向前滚动，有一只单腿独立着摇摆，还有一只倒立着向前走。虽然没有规则，但是他们的表演却非常滑稽有趣。观看表演的许多动物的呼吸变得愈来愈急促。现在已经是春天了，欢天喜地的日子就要来了。冬天过去了，夏天就要到了。不久生活就只是玩乐了。

野兔们蹦蹦跳跳地退场之后，几百只身披深褐色羽毛、长着鲜红色眉毛的松鸡跳到场地中央的一棵大橡树上。站在最高树枝上的那只松鸡鼓起羽毛，垂下翅膀，还翘起尾巴，这样贴身的雪白羽绒也让大家看得清了。随后他伸长脖子，从粗厚的喉咙里发出了两三声浑厚的啼叫："喔呀，喔呀，喔呀！"几百只松鸡一齐放开喉咙啼鸣不止。他们统统沉醉于自己的美妙歌声中。这种情绪感染了所有在场的动物。刚才血液还欢快畅通地流着，而此时却开始变得凝重沸腾起来。"是啊，春天来啦，"所有的动物都在心里想着，"冬天的严寒总算过去啦！春天的火焰燃烧着整个大地。"

黑琴鸡看到褐松鸡的表演这样走俏，他们再也沉不住气了。没有树木让他们落脚，他们干脆冲进会场，然而场地上石楠草长得太高了，大家只能看见他们优雅地晃动着的尾翎和宽大的喙。他们齐声歌唱："喔——喔——喔——"

正当黑琴鸡和褐松鸡的较量热火朝天地进行的时候，一件意想不到的事发生了。一只狐狸偷偷潜入大雁们聚集的山丘。他蹑手蹑脚地靠拢过去，被发现时他已经走上了那座山丘。一只大雁突然发现了他，她心想狐狸混进雁群里来肯定不怀好意，便叫起来："当心啊，大雁们！当心啊，大雁们！"狐狸朝她的咽喉直扑过去，很可能是因为狐狸想让她闭嘴。大雁们已经听到了她的喊声，便一齐飞上天空。大雁们飞走之后，其他动物看见狐狸斯密尔站在大雁的山丘上，嘴里叼着一只死雁。

由于破坏了表演大会的和平，狐狸斯密尔遭到了严厉的惩罚，他肯定会为当时没能抑制住复仇之心，竟然采用这种方式去袭击阿卡和她的雁群而悔恨终生。因为他马上被一群狐狸团团围住，并按老规矩受到惩处，那就是，无论是谁破坏了这个盛大节日的和平都要被驱逐出族群。没有任何一只狐狸请求减轻处罚，因为他们都很清楚，如果他们胆敢提出这样的要求，他们就会被赶出会场，并且永远不准再加入。大家一致同意将斯密尔驱逐出境。从今以后他被禁止留在斯康耐，必须离开自己的妻子和亲属，舍弃他占有的猎场藏身之所，到别的地方去碰运气。为了让斯康耐境内所有的狐狸都知道斯密尔已被驱逐，狐狸中年纪最长的那只把斯密尔的右耳朵尖咬了下来。这一程序刚结束，那些年轻的狐狸便嗜血成性地号叫着，向斯密尔扑去。斯密尔别无选择，只好夺路逃命。在所有年轻狐狸的穷追猛赶之下，他仓皇逃离了库拉山。

这件事并没影响大家。松鸡的表演刚一结束，来自海克博戈的牡鹿就开始登场表演他们的角斗。有好几对牡鹿同时进行角斗。他们拼命地冲向对方，鹿角噼噼啪啪地顶撞在一起，错综交叉，都力图迫使对方往后倒退。石楠草丛下的泥土被他们的蹄子踏得尘土飞扬，鼻孔里冒着粗气，喉咙里挤出吓人的咆哮，唾液顺着嘴角直往下流。

这些能征善战的牡鹿厮打在一起时，四周的山丘上悄无声息，所有的动物都重新燃烧起热情。每个动物都感到自己是勇敢强壮的，意气风发的，仿佛在春天里获得了新生，他们精神抖擞，准备投身于任何冒险。虽说他们之间并不怀有任何敌意，可是个个都张开翅膀，竖起颈翎，摩擦脚掌。倘若海克博戈的牡鹿再继续搏斗一会儿的话，那么山丘上就可能会发生一场混战，因为动物们个个都蕴蓄着烈焰般的渴望，都想显示一下自己也充满了生气，因为冬天的肆虐已经结束，春天使他们浑身充满了力量。

就在这时，牡鹿结束了角斗表演。接着一阵阵喃喃声从一个山丘传到另一个山丘："该大鹤表演啦！"

那些灰色大鸟如云雾般飘过来，翅膀上长着美丽的翎羽，脖子像围着一圈红色的羽饰。这些高挑腿、细长脖、小脑袋的大鸟从山丘上神秘地飞掠而下。飞行时他们旋转着身体，半似翱翔，半似舞蹈。他们优雅地展翅飞翔，速度之快令人难以置信。他们翩翩起舞，别具一格，异彩纷呈，如影如梦，叫人目不暇接，仿佛是荒凉的沼泽地上飘浮的雾霭，渗透着一种魔力。从未到过库拉山的动物此时才会明白，为什么整个汇演命名为"鹤舞表演大会"。他们的舞蹈蕴涵着粗犷，然而激起的感情却是一种美好的憧憬。在这一刻，没有谁会想着格斗。相反，不管是长着翅膀的，还是没有长翅膀的，所有的动物都想腾空而起，飞到云层以外的太空探索奥秘，舍弃笨重的肉体，飞向天国。

对于不可能得到的东西以及生活的奥秘，尽情遐想，异想天开，对于动物们来说每年也只有这么一次，那就是在他们举行鹤舞表演大会的这一天。

在 雨 天

三月三十日　星期三

　　这是踏上旅途以来的第一个下雨天。大雁们在瓦姆布湖逗留的那些日子里，天气一直晴朗。然而就在他们开始朝北飞行的那一天，开始下起雨来。男孩骑在鹅背上淋了几个小时的雨，浑身湿透了，冻得瑟瑟发抖。

　　大雁们只在向雄鹅指点他们航线上的地面标志时才停一下。这段飞行路线的地面标志是林德罗德山的光秃秃的山坡、乌威斯哥尔摩的大庄园、克里斯田城的教堂钟楼、位于乌普曼那湖和伊芙湖之间狭长地带的贝克森林的王室领地，还有罗斯山的峭壁断崖。

　　这次飞行非常单调乏味，男孩把每次乌云的出现看做真正的消遣娱乐。过去他只是从地面上仰望过乌云，那时他觉得乌云灰蒙蒙的，令人讨厌。但是置身云中时，感觉就大不相同。现在他清楚地看到，那些云层就像是在空中行驶着的一辆辆大货车，上面的东西堆积如山：有些装的是灰色大麻袋，有些装着足以盛下一个湖的大桶，还有一些装着垒得很高的瓶瓶罐罐。这些货车多得把整个天空都挤得满满的，就在这时，仿佛有谁一声令下，于是大雨从这些瓶瓶罐罐、水桶和麻袋里一下子全都倾泻下去了。

　　当第一场春雨滴落到地上时，灌木丛里和草地上的所有小鸟都欢呼起来，欢呼声在空中回荡，坐在鹅背上的男孩也被感染得跳了起来。"现在下雨喽！雨水给我们带来春天，春天给我们带来鲜花和绿叶，鲜花和绿叶给我们带来虫蛹和昆虫，虫蛹和昆虫给我们带来食物，又多又可口，这可是最好的东西。"小鸟们歌唱道。

　　大雁们也为春雨感到高兴，因为春雨使万物复苏，使冰封的湖面融化出一个个窟窿。他们再也保持不住刚才的严肃了，开始朝地面欢快地呼唤起来。

　　在克瑞斯琴斯特德城一带有许多大片的土豆地，这时田地里还都是光秃秃、黑黝黝的，土豆还没有发芽。大雁们飞过这些田地时，便唤道："土豆地，醒醒吧！快长东西吧！春雨要把你们唤醒，你们已经偷懒了很长时间。"

当大雁看到行人们匆匆找地方躲雨时，不禁埋怨道："你们这样匆匆忙忙干什么？难道你们没有看见，天上掉下来的是面包和点心吗？"

　　这时，有一个厚厚的大云层飞速地朝北飘移，它紧紧跟随在大雁身后。大雁们幻想着，那是自己在拖着云层前进。就在这时，大雁们看到下面有个大花园，于是得意地喊道："我们送来了银莲花，我们送来了蔷薇花，我们送来了苹果花和樱桃花！我们送来了豌豆、芸豆、萝卜和白菜！谁想要，就来拿吧！谁想要，就来拿吧！"

　　春雨刚刚降落时就是这样的情景，大家都为春雨的到来而兴奋不已。可是这场雨下了整整一个下午，大雁们感到不耐烦了，就向埃芙湖周围干渴的森林嚷道："难道你们还没有喝够吗？难道你们还没有喝够吗？"

　　天空越来越阴沉，太阳躲得无影无踪。雨下得越来越大，雨点也越来越重地敲打着大雁的翅膀，并且渗透了外面那一层光滑的羽毛一直浸到肌肤里。大地上雨雾蒙蒙，湖泊、山岭和树林都已经模糊成一片，分不清界线。地面的标志也无法辨清。他们飞得越来越慢，不再发出欢快的鸣叫，而男孩也感觉越来越冷。

在空中飞行的这段时间里，他一直强忍着。到了下午，他们终于在一块大沼泽地中间的一棵矮小松树下面降落，那里又湿又冷，有些土丘还覆盖着积雪，而另外一些土丘光秃秃的，浸泡在半融化的冰水中，即便如此他也没有感到气馁，而是精神饱满地跑来跑去寻找越橘和冻了的野红莓。但是夜幕降临了，黑暗笼罩着他们，连男孩那样敏锐的眼睛也什么都看不见。荒野变得异乎寻常地阴森可怕。男孩躺在雄鹅翅膀底下，浑身湿凉，难受得无法入睡。他听到噼里啪啦的响声、蹑手蹑脚的脚步声和恫吓威胁的吼声，那么多可怕的声音此起彼伏、接连不断，他害怕极了，不知道自己该去哪里。要不想被吓死，他必须到有灯光的温暖的地方去。

"到人住的地方去度过这一夜吧，"男孩心想，"我只在炉火边待一会儿，再吃点儿东西，就可以在日出之前回到大雁这里。"

他从翅膀底下爬出来，滑到了地上。他既没有惊醒雄鹅，也没有惊醒大雁们，只是悄无声息地溜出了这片沼泽地。

他不清楚自己究竟在什么地方，是在斯康耐呢，还是在斯摩兰或者是布莱琴基。但是就在来到这块沼泽地之前，他瞥见附近有一个大村庄，此时他就朝着那个方向走去。

男孩来到了一个很大的教区村庄，这类村庄在瑞典北方很普遍，而在南方平原却几乎见不到。

住房是用木料建造的，而且造型十分精致美观。大多数房屋的山墙和前墙上都镶嵌着精雕细凿的线脚，房前走廊上都安装着玻璃窗，有些还装着彩色玻璃。屋墙漆成浅色的，门和窗框漆成蓝色或绿色，甚至还有漆成红色的。男孩一边走着，一边观察着这些房子，一路上耳边不断传来住在这些温暖的小屋里的人们的说话声和笑声。他听不清他们在说些什么，但是觉得听到人的说话声就是亲切。"我真不知道，要是我敲门要求进去待一会儿的话，他们会说些什么。"他想。

他本来是想这么做的，可是他一见到灯光明亮的窗户，对黑暗的恐惧心理就消失了。相反地，当他与人接近时，一直笼罩在他心里的那种羞怯又重新冒了出来。"在我请求人家让我进屋之前，"他想，"我还是多看几眼这个村子吧。"

他来到一幢有阳台的房屋前。男孩走过时，阳台门刚好被打开，淡黄色的灯光透过精美轻薄的帷帘映射出来。一个美貌少女走到阳台上，身子倚着栏杆。"下雨了，春天马上就来了。"她说。男孩一看到她，心里荡漾起一阵奇怪的渴望。他几乎快要哭出来，这是他第一次因为远离人间而感到有点儿伤心。

随后他又走过一家店铺，店铺门口停着一部红色的播种机。他停下来看了看，最后爬到驾驶舱里，假装自己正在开动这部播种机。他不禁心想，要是真能在田地里开着这样漂亮的机器，那该有多么开心呀。一瞬间，他忘记了自己现在的模样，可是很快又想了起来，便赶紧从机器上跳了下来。心里的不安变得越来越强烈了。人类毕竟还是非常聪明能干的！

他走过邮局时，想起了各式各样的报纸，这些报纸每天都刊登着世界各地的新闻。他看到药房和医生的住宅时，便赞叹起人类的巨大力量，竟然可以同疾病和死亡作斗争。他走过教堂时，就想到人类建造教堂是为了倾听有关人世以外的另一个世界的情形，倾听有关上帝、复活和永生的福音。他越往前走，就越觉得做人真好。

孩子都是这样的：他们只想到眼前的事情，而没有远见。他们只想要离他们最近的东西，而从不考虑为此要付出多大的代价。尼尔斯当初选择要继续当小精灵的时候，他根本不明白自己究竟会失去什么。而现在，他却极度担心自己也许再也不能变回到原来人的模样。

他究竟应该怎么做才能变成一个人呢？这就是此时此刻的他非常想知道的。

他爬上一个房屋的台阶，在倾盆大雨中坐下来，思索着。他坐在那里想呀、想呀，一个小时过去了，两个小时过去了。他想得额头上都起了皱纹，还是想不明白。

"对于像我这样只读过一点儿书的人来说，这个问题肯定是太难啦，"他最后想道，"倒不如我先回到人类当中去。我去请教牧师、医生、老师和别的有学问的人，说不定他们知道该怎么办。"

他决定马上就这么去做。他抖掉身上的雨水，因为他浑身像只落汤鸡一样湿透了。

就在这时，他看到一只大猫头鹰飞来，落在街边的一棵树上。过了一会儿，屋檐下一只小母猫头鹰打招呼说："叽叽咕咕，叽叽咕咕！你回来啦，灰猫头鹰先生？你在外面过得怎么样？"

"谢谢关心，褐猫头鹰小姐！我过得很开心，"灰猫头鹰答道，"我外出这段时间，家里发生什么奇闻怪事了吗？"

"布莱琴基这里倒没有，灰猫头鹰先生！可是斯康耐却发生了一件怪事。有个男孩被一个小精灵施展魔法，变成了松鼠那么大小。后来那个男孩就跟着一只家鹅到拉普兰去了。"

"嘿，这真是件怪事，是件怪事！褐猫头鹰小姐，这个男孩就再也不能变成人了吗？这个男孩就再也不能变成人了吗？"

"这是一个秘密，灰猫头鹰先生，不过说给你听听也不碍事。那个小精灵说了，如果男孩能够照顾好那只雄鹅，让他平安无事地回到家的话，那么……"

"还有什么？褐猫头鹰小姐，还有什么？还有什么？"

"跟我一起飞到教堂钟楼上去吧，灰猫头鹰先生，在那儿你就可以知道一切！我怕大街上有谁偷听了去。"于是那两只猫头鹰就一齐飞走了。男孩兴奋得把帽子抛向空中，高呼道："只要我照顾好雄鹅，让他平安无事地回到家，我就可以重新变成人啦！太好啦！太好啦！那时我可以重新变成人啦！"

尽管他大声地呼喊，可奇怪的是屋里的人却没有听见。他们确实听不见他的声音，于是他便飞快地朝着大雁们栖息的潮湿的沼泽地走去。

罗尼比河岸

四月一日　星期五

不论是大雁还是狐狸斯密尔都没有想到，他们离开斯康耐后还会再相遇。然而事情就是这么巧，大雁们改变了原来的路线绕道布莱琴基，而狐狸斯密尔也来到了这里。

这一段时间他一直在该省的北方窜来窜去，在那里他始终没有找到大公园或养满猎物的动物园。他心头积郁着难以言状的不满。

一天下午，斯密尔在离罗尼比河不远的荒凉的森林地带游荡时，猛然看见空中飞过一群大雁。他立即发现其中有一只白色的，于是他明白自己看见的是谁了。

斯密尔立即跟上大雁们，不仅是为了能掠得一顿美餐，而且也为了报仇雪耻。他看着他们朝东飞去，一直飞到罗尼比河，然后改变方向，顺着河流向南飞去。他明白大雁们是想沿着河岸寻找一个睡觉的地方，并且心想，不用费太大劲儿自己就能抓住一两只。可是当斯密尔看到大雁们最后降落栖身的地方时，他注意到，他们选择了一块非常安全的地方，自己根本不可能接近他们。

罗尼比河虽说不是名川大河，却也因两岸美丽的风光而备受称赞。这条河穿行于悬崖峭壁之间，峭壁上长满了忍冬树、稠李树、花楸树和杞柳树。在风和日丽的夏日，再也没有比在这条墨绿的小河上泛舟、仰头观赏紧贴在峭壁上的那一片郁郁葱葱的翠绿更令人心旷神怡的了。

可是大雁们和斯密尔来到这条小河的时候，依然春寒料峭。树木还是光秃秃的，没有谁会想到去评价河畔的风景是美还是丑。大雁们很庆幸，他们竟然在峭壁上找到一片足以容下他们栖身的沙滩。前面是冰雪消融季节里水流湍急的罗尼比河，身后是不可逾越的峭壁，垂下来的藤蔓枝条正好作为屏障。他们再也找不到比这里更合适的地方了。

大雁们很快睡着了，而男孩却没有一点儿睡意。太阳一落山，他对黑暗和荒野的恐惧就油然而生，渴望着回到人类中去。他躺在雄鹅的翅膀底下，什么也看不见，听得也很模糊。他想到，要是雄鹅遭到不测，他是无法搭救他的。

听到四周响起哗啦哗啦的声音，他愈发忐忑不安起来，便从翅膀底下钻了出来，坐在雄鹅身旁。

远视的斯密尔站在山顶眼巴巴地望着下面的大雁，"你放弃追踪他们的想法吧，"他自言自语道，"山太陡峭你爬不了，水流太急你游不过去，况且山脚下没有一丝陆地通向他们露宿的地方。那些大雁太精明你对付不了。今后再也不要自寻烦恼去抓他们了。"

和其他狐狸一样，斯密尔也很难放弃已经开始的冒险行动，所以他就趴在山顶最边沿，目不转睛地盯着大雁们。他趴下监视时不由得回想起他们让自己遭受的所有伤害。是的，他被驱逐出斯康耐，就是他们造成的。他趴在那里越想越恨得牙痒痒，就算他自己不能吃掉他们，也希望他们早日丧生。

就在斯密尔怒不可遏时，他听见他身边的一棵松树上传来一阵哗哗啦啦的响声，他看到一只松鼠从树上跳下来，身后紧跟着一只紫貂。他们俩谁也没有注意到斯密尔，他就一动不动地趴在那里观看着他们从一棵树上追到另一棵树上。他看见那只松鼠轻巧如飞地在树枝之间穿来穿去。他又看到那只紫貂虽然不如松鼠那样善于攀爬，但是也能顺着树干蹿上蹿下，就像奔跑在林间小路上一样敏捷。"要是我攀爬得有他们一半那么好，"狐狸想，"下面那些家伙就休想再睡安稳！"

那只松鼠被抓住了，追逐也就到此结束，斯密尔随即就朝紫貂走过去，在离他两步远的地方停了下来，以表明他并不是来抢夺紫貂的猎物的。他非

常友好地问候紫貂并且祝贺他的成功。和其他狐狸一样，斯密尔花言巧语了一番。紫貂身材细长，头部漂亮，皮毛柔软，脖子上有淡褐色的斑点，看上去娇小玲珑、美丽非凡，而事实上是凶狠毒辣，他对狐狸几乎连理都不理。"我觉得惊奇，"斯密尔说，"像您这样的高手，怎么满足于抓抓松鼠，却放过唾手可得的更好的美味。"说到这儿他停了下来，紫貂毫不在乎地对他冷笑着，他继续说道："是你没有看见峭壁底下的那些大雁？还是你的攀缘本领不高，无法下去捉住他们？"

这一回他不用等待回答。紫貂拱起腰，浑身的毛都竖了起来，向狐狸猛扑过去。"你见到大雁了吗？"他嘶叫道，"他们在哪里？马上告诉我，否则我就咬断你的喉咙！"

"别忘了我可比你大一倍，请客气点儿。我没别的意思，只是想指给你大雁的位置。"

紫貂立刻顺着峭壁攀缘而下。斯密尔蹲在那里，看着紫貂扭动着像蛇一样的身子，从一根树枝蹿到另一根树枝，心想："这位外表漂亮可爱的猎手竟然是森林中最心狠手辣的家伙。想必大雁们要为这次血腥的拜访而感谢我啦。"

就在斯密尔等着听到大雁们临死前的惨叫时，他却看到紫貂从一根树枝栽向另一根，扑通一声摔进河里，水花飞溅得很高。紧接着就是一阵呼呼啦啦拍打翅膀的声音，所有的大雁都慌忙飞到了空中。

斯密尔本来打算立即去追大雁，但是他非常好奇，想尽快弄清楚他们究竟是怎么得救的，所以他蹲在那里，一直等到紫貂爬上岸来。那个可怜的家伙浑身淌着水，并且时不时地停下来用前爪擦擦脑袋。"我不是早就料到了吗？你就是个大笨蛋，会掉进河里去的。"斯密尔轻蔑地说。

"我一点儿也不笨，你可不能责怪我，"紫貂说，"我已经爬到了最底下的一根树枝上，蹲在那里盘算着怎样才能把这一大群大雁撕个粉碎，就在这时，一个松鼠那样大的小人儿突然跳起来，使劲朝我脑袋上砸过来一块石头，我就掉进了河里，我还没来得及爬起来……"

紫貂不必再说下去，因为已经没有了听众，狐狸斯密尔早就追赶大雁去了。

与此同时，阿卡往南飞，去寻找新的宿营地。当时天色还略微泛亮，加上空中高高挂起的半圆形的新月，她多少还能看得见。好在她对这一带的地形很熟悉，因为每年春天飞越波罗的海时她曾不止一次地顺风来到布莱琴基。

她沿着河流一直向前飞去。那条小河在月光下就像一条乌黑发光的蛇盘旋在地面上。就这样她一直飞到尤帕佛斯瀑布，河流在那里先躲进一条地下沟壑，然后从一条狭窄的缝隙里冲下来，河水变得如玻璃般清澈透亮，然后在山底撞个粉碎，化为无数个闪闪发亮的水珠和四处飞溅的泡沫。白色瀑布的下面有几块石头，水从中间流过，形成旋涡奔腾而去。阿卡就在这里降落下来。这又是一个很好的宿营地，尤其是夜里这么晚的时候，没有什么人在这里走动。

大雁们在那些光滑潮湿的石头上睡着了，但是男孩却无心睡觉，他坐到大雁身边守护着雄鹅。

没过多久，斯密尔就沿着河岸跑了过来。他一眼看见大雁们站立在泡沫四溅的旋涡之中，便明白这一次他也无法抓住他们。可是他仍然不甘心，于是便趴在河岸上盯着大雁们。他认为非常丢脸，感到自己好猎手的名声正面临着丧失的危险。

突然，他看见一只水獭嘴里叼着一条鱼从旋涡里钻了出来。斯密尔走上前去并在离他两步远的地方停了下来，表明他无意掠夺水獭的猎物。

"你真奇怪，石头上站满了大雁，而你却满足于捕鱼吃。"斯密尔说。他一着急，就没有像平时那样好好斟酌一下措辞。水獭头都不回，根本不朝河面上看一眼。像所有的水獭一样，他也是个流浪汉，曾多次到瓦姆布湖抓鱼吃，也许从那儿了解了狐狸斯密尔。

"斯密尔，我可知道你为了把一条鳟鱼骗到手是怎么做的。"他说。

"哎哟！原来是您啊，格瑞普。"斯密尔说，暗自欣喜，因为他知道这只水獭是个敏捷娴熟的游泳家，"你对大雁不屑一顾我不奇怪，因为你游不到他们那儿去。"然而，水獭的趾间长着蹼，尾巴硬邦邦的像船桨一样好使，浑身皮毛毫不透水，他自然不愿意被取笑说自己连一条急流都游不过去。他朝水流那边转过身，一看见大雁便把嘴里的鱼吐了出来，从陡坡上跳进水里。

如果这一天发生在晚春，那么尤帕佛斯的夜莺就会待在家里，一连多日歌唱格瑞普同旋涡的搏斗。水獭好几次被旋涡卷走沉到水里，但是又奋力挣扎着浮了上来。他终于从平静的水里游了过去，爬上石头，渐渐逼近大雁们。这是一场惊险的泅渡，真是值得夜莺们歌颂的。

斯密尔密切注视着水獭的进程。他总算看到水獭快要爬到大雁们的身边。就在这时，水獭一声凄厉的尖叫，掉进水里，像一只瞎眼的小猫那样被急流卷走了。紧接着传来一阵大雁急促地拍打翅膀的声音，他们都冲天而起，又飞去寻找新的栖身之地。

不久，水獭爬到岸上。他什么也不说，只是舔着一只前掌。斯密尔讥笑他没有抓到大雁，水獭这才说："这不是我游泳技术的问题，斯密尔。我已经爬到大雁的身边，刚要扑上去，却有个小人儿跑过来，用个很尖的东西狠狠地戳我的爪子。戳得非常疼，我站不稳便被卷进急流中。"

他还没有说完，斯密尔早已扬长而去，追赶大雁去了。

阿卡和她的雁群不得不再一次在夜间飞行。幸运的是月亮还没有落下去。凭着月光，她又找到一处这一带她所熟知的栖息地。她沿着那条波光粼粼的小河朝南飞，飞过亚珀多尔庄园，飞过罗尼比城黑压压的屋顶和瀑布，继续向前飞没有停留。在城南离海不远的地方有一个矿泉，那里有为矿泉疗养者兴建的浴室、饮水房、大旅馆和避暑别墅。那里的房屋到了冬天都空闲着，这一点鸟类都很清楚。有暴风雪时，这些鸟群便到那些闲弃房屋的栏杆和阳台上避避风雪。

大雁们就在这里的一个阳台上降落下来，同往常一样他们很快就睡着了。那个阳台面向南，所以男孩可以饱览大海的风光。他睡不着，就坐在那里观赏大海和陆地交接处的美丽夜景。

大海同陆地相接的形状有很多种。有些地方，陆地朝大海伸出平坦而繁芜的草地，而大海却用流沙堆起堤坝和沙丘来阻滞陆地的伸展。看上去好像它们彼此非常憎恶，只想把最坏的一面展示给对方。不过，也有的地方，陆地在伸向大海时猛然在前面筑起一堵山丘般的墙，好像大海是非常危险的东西。在这种情形下，大海就卷起愤怒的浪花汹涌而至，鞭笞、吼叫和撞击着，好像非要把山丘撕成碎片。

但是在布莱琴基，大海和陆地相接处却迥然不同。陆地将自己分成岬角、岛屿和礁岩，而大海也将自己分成峡湾、海湾和海峡。也许因为这一点，看上去好像两者相遇时是愉快而和睦的。

男孩注意到了大自然是多么的温和友善，所以他的心情也比以前平静多了。就在这时，他忽然听见从浴场花园里传来一阵刺耳可怕的吼叫。他站起来一看，只见阳台下面朦胧的月光里站着一只狐狸。原来斯密尔又一次追踪大雁来了。当找到他们的栖息之地，他就明白自己仍旧无法接近他们。他禁不住懊恼地号叫起来。

狐狸这么一叫，领头雁老阿卡就惊醒了。尽管她什么也看不见，她觉得自己还是辨别出了这是谁的声音。"是你半夜还在外面，斯密尔？"她问道。"不错，"斯密尔回答说，"正是我，我还想问一下，你们大雁觉得我为你们安排的这个晚上怎么样呀？"

"你的意思是说，紫貂和水獭都是你派来害我们的吗？"阿卡问道。"不错，这样精彩的节目是不必否认的，"斯密尔答道，"你们曾用大雁的游戏捉弄我，现在我要用狐狸的游戏来回敬你们。只要你们中间还有一只活着，我就要追下去，哪怕追到天涯海角。"

"你，斯密尔，至少应该想一想这样做对不对，你既长着尖牙又长着利爪，却这样追逐我们这些无助的大雁。"阿卡说。

斯密尔以为阿卡被吓怕了，连忙说："阿卡，如果你交出经常与我作对的大拇指，把他扔下来交给我，那么我就答应跟你们讲和，今后不再追赶你或者你们中间的任何一只。""我不会交出大拇指的，"阿卡答道，"我们中间从最小的到最老的都愿意为他而献出自己的生命。""你们这么喜欢他，"斯密尔说道，"那么我向你们发誓，我第一个要报复的就是他。"

阿卡不再搭腔，斯密尔吼叫了几声之后，一切又都归于寂静。男孩躺在那里一直醒着。阿卡对狐狸说的那一番话使他难以入睡。他做梦也想不到，有人愿意为他而牺牲生命。从此，就再也不能说尼尔斯·豪格尔森不喜欢任何人了。

奥兰岛之南角

四月三日至六日

　　在奥兰岛的最南端有一座古老的王室庄园，名叫奥藤比。这座庄园非常宏大，贯穿整个岛屿。这座庄园之所以有名，是因为那里一直是大群动物出没的地方。在十七世纪时，国王们经常到奥兰岛狩猎，那时整个庄园只是一个鹿苑。到了十八世纪，那里建起一座种马场，培育名贵的良马，还有一个养了几百只羊的饲养场。如今，在奥藤比既没有了名马也没有了羊群，而是为骑兵团饲养着大批马驹。全国各地再也没有比那里更适合动物繁衍的了。

　　除了这些驯养的动物之外，野生动物也可以把它当做安身之地，所以他们成群结队地来到这里。这里至今还有像牡鹿这样的古老物种，麻鸭和山鹬也喜爱在这里生活。在春天和夏末，这里是成千上万只候鸟的歇息地，尤其是紧挨牧场的潮湿东海岸，候鸟们降落在那里歇息和觅食。

　　当大雁们和尼尔斯终于找到奥兰岛时，他们也像别的鸟一样在牧场附近的海岸上降落下来。尽管浓雾覆盖着岛屿和海面，可是，当男孩在他视线内那一小段海岸上看到聚集着那么多鸟时，不禁吃了一惊。

　　那是一片低洼的沙滩，上面到处是石头、水坑和一堆堆被海浪冲刷上来的海藻。要是让男孩选择的话，他根本不想降落在这里歇息，可是鸟类却都把这里看成真正的乐园。野鸭和大雁在牧场里走来走去寻找着食物，靠近水边的是沙锥鸟和其他海滨鸟，白嘴潜鸟在海水里浮游捕鱼，不过聚集得最多的地方是沿岸那块海藻滩。在那里鸟一个挨一个地挤在一起，吞食着肯定是数不胜数的小虫子，因为从来没有听到过不够吃的怨言。

　　在海藻滩的最外面游着一群天鹅。他们不愿意到岸上来，而是浮在水面上晃来荡去。有时他们把脖子扎进水里，从海底捕捉食物。捕捉住美食时，他们便像吹喇叭一样尽情地仰天大叫。男孩听见浅滩有天鹅的叫声，便赶紧跑到海藻滩。他从来没有在近处看到过天鹅，这次有幸离他们这么近。

　　男孩不是唯一一个听见天鹅的叫声的。大雁、灰雁和白头潜鸟也从海藻滩间游了出来，在天鹅四周围成一个圈，目不转睛地看着他们。天鹅们鼓鼓羽毛，将翅膀像风帆般展开，把脖子向空中高高昂起。偶尔也有一两只天鹅游到一只野鹅或者大潜鸟或者麻鸭面前，说几句话。

　　天鹅飞走后男孩又回到岸上。他站在那里观看沙锥鸟戏水。他们长得像小白鹳，小身子、高挑腿、长脖子，动作轻盈飘逸，只不过他们不是灰色的，而是褐色的。他们排成长长的一行，站在海浪冲刷的岸边。一个浪头卷过来，整个队列全都往后退。波涛退下去时，他们就追逐着波浪。他们就这样持续玩耍了几个小时。

最迷人的鸟是麻鸭。毫无疑问，他们同普通鸭子有着血缘关系，因为他们也有粗笨的身子、扁扁的喙和有蹼的脚掌。但是他们装扮得要精致漂亮多了：雪白的羽毛，脖子上一圈很宽的黄色，翼镜闪烁着绿、红、黑三色，翼尖是黑色，头部是墨绿色的并如绸缎般绚丽斑斓。

第二天有雾。大雁们到牧场上去觅食，男孩却跑到岸边去捡贝贝。该吃午饭时，所有大雁都跑过来问他看见雄鹅了没有。"没有，他没有跟我在一起。"男孩回答说。

"刚才他还和我们在一起，"阿卡说道，"可是这会儿，我们不知道他到哪儿去啦。"

男孩跳了起来，紧张极了。他问，狐狸或鹰隼是不是出现过，或者有没有谁见到附近有人出现。可是，谁都没有看到有什么危险的迹象。雄鹅可能是在浓雾中迷路了。

不管雄鹅是怎样失踪的，对男孩来说都是很大的不幸。他马上出发去寻找他。浓雾掩护着他，他随便跑到哪里都不会被看到，可是大雾也使他看不清东西。他沿着海岸往南跑，一直跑到岛上最南端的灯塔和驱雾炮那里。遍地都是嘈杂的鸟群，就是没有雄鹅。他闯进奥藤比庄园，在奥藤比森林里找遍了每一棵空心的老橡树，可是一点儿雄鹅的影子也没有发现。

他一直寻找到天色暗下来，不得不回到东海岸去。他拖着沉重的脚步走着，心里充满了沮丧。他不知道如果找不到雄鹅，自己今后会怎么样。再也没有谁能比得上雄鹅在他心中的位置。

这时他忽然看见一大团白色的东西在浓雾中向他走来，那不是雄鹅还会是什么呢？雄鹅安然无恙，而且非常高兴终于又回到了大家身边，是浓雾使他晕头转向，害得他在牧场转悠了一整天。男孩喜出望外，双手抱住雄鹅的脖子，恳求他以后多加小心，再不要同大家走散了。雄鹅保证他再也不会这么做了，永远不会。

可是第二天上午，男孩沿着沙滩捡贝贝时，大雁们又跑过来问他有没有看见雄鹅。没有，他当然没有。"哦，雄鹅又跑丢啦。他可能像头一天一样，在大雾中迷失方向了。"大雁们说。

男孩惊讶地撒腿就跑去寻找他。他发现奥藤比围墙有个地方已经塌落，他可以从那里爬过去。爬出围墙后，他沿着海岸寻找，海岸越走越开阔，地方愈来愈大，出现了大片的耕地、牧场和农庄。接着他来到海岛中间平坦的高地上去寻找，这里除了一座座风磨，没有别的建筑物，而且草皮非常稀疏，底下的白色石灰岩裸露了出来。

他在那里没有找到雄鹅，而天色已接近黄昏，男孩必须往回赶。他只能认为自己的旅伴走丢了。他心情很沉重，不知道该怎么做才好。

他又吃力地爬过围墙，忽然听到附近发出撞击声。他转过身去想看看是什么东西掉了下来。他看到靠墙的一堆石头上有个什么东西在动。他蹑手蹑脚走近一看，原来是雄鹅正在吃力地爬上石堆，嘴里衔着几根长草。雄鹅没有看见男孩，男孩也没有喊他，心想正好可以查明雄鹅一次又一次失踪的原因。

他很快就弄清楚了其中的原因。原来石堆里躺着一只小灰雁，雄鹅一爬过去，小灰雁就欣喜地叫起来。男孩又爬近了一些，这样就可以听到他们在说什么了。这时他发现那只灰雁的一只翅膀受了伤，不能飞行了，而她的雁群却已经飞走，只留下她孤孤单单地在这里。她差一点儿饿死，幸好前天雄鹅听到她的悲鸣找到了她。从此，雄鹅就一直给她送食物。他们两个都希望在雄鹅的队伍离开这个岛屿之前，她能够恢复健康，可是她至今既不能飞也走不动。她心里因此非常焦急，可是他安慰她说这段时间他不会离开这里。最后他向她说了晚安，并答应她第二天再来看她。

男孩没吱声让雄鹅先走了。雄鹅一走远，他就溜进石堆。他很生气，因为他一直被蒙在鼓里，现在他要对灰雁说，雄鹅是他的，要驮着他去拉普兰，不能为了她而留下来。可是当他走近灰雁一看，他明白了为什么雄鹅一连两天给她送食物以及为什么雄鹅只字不提他帮助她一事。她长着个特别漂亮的小脑袋，羽毛柔软得像绸缎，眼睛里闪烁着温柔而祈求的光。

当她看见男孩时，本想逃走，但是左翅膀脱了臼，耷拉在地上，不能移动。

"你不必害怕我，"男孩说，看上去也没有来时那么生气了。"我叫大拇指，是雄鹅莫腾的旅伴。"他继续说。说完他就站在那里，不知道要说什么好了。

动物身上有时也具有一种灵性，让人说不清他们究竟是哪一类生物。人们几乎害怕他们会变成了人类。那只灰雁就是这样。大拇指一说出他是谁，她就在他面前妩媚地低下了脖子和头，用让男孩难以置信的甜甜的声音说道："我非常高兴你来帮我。白雄鹅告诉我，没有谁比你更聪明和更善良了。"

她很坦然地说了这番话，男孩觉得很惭愧。"这哪是一只鸟儿，"他想，"这简直是被施了魔法的公主！"

他很想帮助她，便把他的手伸进羽毛底下去摸摸翅骨。骨头没有折断，只是关节脱了臼。他把一个手指放进那个脱臼了的关节窝。"忍着点儿！"他一边说，一边捏住那根管状的骨头，把它推回原处。他是第一次做这样的事，做得既快又准。然而毕竟还是非常疼，那只可怜的小雁一声惨叫后便倒在石缝里没有一点儿气息了。

男孩吓得要命，他本想帮助她，想不到她却死了。他纵身跳下石堆跑了。他觉得，就好像是自己杀死了一个人一样。

第二天早晨，天气转晴，没有一点儿雾。阿卡说现在要继续飞行了。所有的大雁都同意，唯独雄鹅不赞成。男孩非常清楚，他是不忍心离开灰雁。可是阿卡没有理会雄鹅便动身了。

男孩爬到雄鹅背上，雄鹅虽然磨磨蹭蹭，不大乐意，但还是跟着雁群出发了。男孩却为能够离开这里而高兴不已，他为了灰雁的事情良心上遭受着谴责，可是又不想告诉雄鹅自己想帮她治伤时发生的事情。他想，雄鹅莫腾最好永远都不知道这件事，同时他又纳闷儿，雄鹅怎么就忍心丢下灰雁不管了。

突然雄鹅转身往回飞，对灰雁的牵挂征服了他。能不能去成拉普兰就顺其自然吧，但是，他知道小灰雁现在孤孤单单、有病在身，躺在那里会饿死的，所以他不能跟着大雁们离开。

雄鹅挥动了几下翅膀就来到了石堆，然而那里没有小灰雁的影子。"丹芬！丹芬！你在哪儿？"雄鹅喊道。

"狐狸可能来过这里，把她叼走了。"男孩想。可是就在这时，他听到一个甜甜的声音在回答雄鹅："我在这儿，雄鹅！我在这儿！我一早就来洗澡啦。"小灰雁从水里跳起来，充满活力，整洁优雅，并叙述说，大拇指是怎样治愈自己的关节，现在她又是怎样地健康，并准备好跟他们一起继续飞行。

水珠像珍珠一样附着在她绸缎一般绚丽的羽毛上。大拇指不禁又一次想：她是一位真正的小公主。

小卡尔斯岛

风 暴

四月八日　星期五

　　大雁们在奥兰岛北岬角待了一夜，现在向内陆飞行。一股强劲的南风吹过卡尔马海峡，也把大雁们逼向北方。他们仍然向陆地高速飞行。就在他们快要靠近第一群礁石岛时，忽然听到一阵巨响，就像是一大群翅膀强劲的巨鸟飞了过来，下面的海水顿时变成了黑色。阿卡突然停止拍打翅膀，几乎一动不动地僵在空中，然后她赶紧朝海面上降落下去。可是还没有等雁群落到水面，风暴已经追上他们。狂风在前面卷起烟尘、浪花和小鸟，现在又将雁群卷了进去，把他们刮得上下翻滚。

　　这场风暴太厉害了，大雁们一次又一次地奋力飞回去，然而却飞不回去，反而被吹得越来越远。大风已经把他们推过奥兰岛，大海出现在他们的面前。除了尽量避开浪头之外他们别无选择。

阿卡一发现他们已经无法飞回去时，便想决不能让狂风把他们赶过波罗的海去。于是她往水面上降落。大海在咆哮着，而且越来越猛烈。碧绿的波涛在浪峰上泛着白沫翻滚而来，而且一浪高过一浪，似乎在较量看看哪个飞溅得最凶。但是大雁们并不害怕波浪，他们不用费劲儿自己去游，而是随着波峰浪谷上下漂荡。这种漂荡让他们产生了难以抑制的睡意。他们不时地想把脑袋转过去，把喙塞到翅膀底下去睡觉。再也没有比在这种情况下睡着更危险的了。所以阿卡不停地呼喊道："不许睡着，大雁们！谁睡着了谁就会掉队的。谁掉队了谁就完了！"

尽管竭尽全力抵抗睡意，大雁们还是一只接着一只睡着了，甚至连阿卡自己也差点儿打起盹来。就在这时，她忽然看到浪峰上露出一个圆圆的黑糊糊的东西。"海豹！海豹！海豹！"阿卡大声尖叫起来，呼呼地扇动翅膀冲上天空。当时真是千钧一发。最后一只大雁刚刚离开水面时，海豹已经离她很近，张嘴就去咬她的趾掌。

这样大雁又回到了风暴中，而风暴又把他们卷向大海。大雁们拼命地挣扎着，而风暴也不停地肆虐着。他们看不见陆地，眼前只有茫茫大海。

他们又鼓起勇气降落在水面上，可是在波浪的摇晃下没过多久又都瞌睡起来。而他们睡着时，海豹又游了过来。若不是老阿卡高度警觉，恐怕他们无一幸免。

风暴持续了整整一天，它给在这个季节飞回的大批候鸟带来了可怕的灾难。有些被风卷出航线带到别的国土饿死了，有些累得精疲力竭而掉进海里淹死了，许多撞在悬崖峭壁上而粉身碎骨，还有许多成了海豹的食物。

狂风怒吼了一天，阿卡最后也开始担心她和她的雁群会遭到灭顶之灾。他们现在已经极度疲惫，然而却看不到可以歇脚的地方。临近黄昏时，她不再敢在海上降落，因为这时海面上突然涌现出大块的浮冰，冰块相互碰撞着，她担心大雁们会被冰块挤碎了。有一两次，大雁们也试图在浮冰上降落。可是第一次狂风把他们扫进了水里，另一次凶残的海豹爬上了冰块。

日落时，大雁们又一次飞到空中。他们朝前飞去，心里充满了对黑夜的恐惧。在这个充满着危险的傍晚，天色似乎也黑得特别快。

可怕的是他们至今还看不见陆地。如果他们不得不在海上待上一整夜，那么情况会怎么样呢？很明显，他们要么会被浮冰挤碎，要么被海豹吃掉，或者被风暴驱散。

天空乌云密布，月亮躲了起来，黑夜突然降临。整个大自然笼罩着一层恐怖，这让最勇敢者也会感到心惊胆战。候鸟的哀号一天来都在大海的上空回荡，丝毫没有谁在意。可是现在，当哀号的鸟群再也看不见时，那声音听起来凄凉且可怕。海面上浮冰彼此冲撞着，发出巨大的响声，海豹吼着粗野的追捕之歌，这天晚上就好像是要天崩地裂一样。

绵 羊 群

男孩骑在鹅背上往下面大海看了一会儿。忽然，他觉得狂风吼得更响了。他抬头一看，就在他前面——一两米的地方——迎面有一座凹凸不平、光秃秃的峭壁。山脚下波涛翻滚，浪花冲天，飞沫四溅。大雁们径直飞向这座峭壁，男孩不明白他们是不是不知道这样会被撞得粉身碎骨。他刚想到是不是阿卡没有及时看见这个危险物，他们就已经飞到了峭壁上空。这时他才注意到，原来峭壁上有一个半圆形的洞口，大雁们由此飞了进去，转眼之间化险为夷了。

在庆幸得救之前，大雁们想到的第一件事便是，看看是不是所有的旅伴都已经脱险着陆了。当时在场的有阿卡、埃克希、考尔美、奈尔雅、维斯、库斯和六只小雁，还有雄鹅、灰雁丹芬和大拇指。可是左排第一只大雁，从诺尔佳来的卡克希却失踪了，谁也不知道她的命运如何。

大雁发现除了卡克希之外别的都没有掉队，就放心不少。因为卡克希年纪已大且头脑聪明，她知道他们所有的飞行路线和习惯，她肯定知道怎样能够找到他们。

大雁们开始四处查看这个山洞。从洞口射进来一束光线，借着亮光他们就完全可以看清这是个又深又宽的山洞。他们正为能够找到这样一个舒适宽敞的避难所歇息过夜而感到高兴时，一只大雁突然发现，在一个阴暗的角落里有几个闪闪发亮的绿点。"那些是眼睛！"阿卡惊呼道，"这里面有大动物！"他们立即冲向洞口，然而大拇指却对他们喊道："不用怕！是几只绵羊卧在墙根那里！"

当大雁们适应了洞里昏暗的光线后，看清楚那确实是几只绵羊。大羊的数目同大雁的差不多，另外还有几只小羊羔。一只长着又长又弯犄角的大公羊，看上去像是他们的头领。大雁们走上前去频频鞠躬致意。"你们好，荒原上的朋友！"他们问候道。但是大公羊躺在那里一动也不动，没有说一句表示欢迎的话。

大雁们以为，绵羊们不高兴大雁躲进自己的山洞来避风。"我们进到你们的屋子里，你们很不高兴吧？"阿卡说，"可是我们也是迫不得已，大风把我们刮到了这里。我们已经在狂风中挣扎了整整一天，如果我们能在这里过夜，那将感激不尽。"她说完之后，很长时间没有羊应答。然而，可以清楚地听到有一两只羊在深深地叹气。阿卡知道，绵羊总是羞答答的并怪里怪气的，可是这些羊好像是六神无主，不知道该怎么做似的。终于，一只满面愁容的长脸老母羊用凄凉的语气说道："不是我们当中有谁不让你们在这里过夜，而是这所房子不吉利，我们不能像以前那样接待客人啦。"

"你们不必因为这而担心，"阿卡说，"如果你们知道我们今天遭受了什么样的罪，那么你们就会明白只要我们有片安全的地方睡上一夜就心满意足了。"

阿卡说完这些，老母羊站了起来。"我觉得，你们就是在更恶劣的风暴里飞来飞去，也比留在这里要好得多。不过在走之前请你们接受我们这里所能给予的最好的款待。"

她把他们领到一个盛满清水的大坑前面，水坑旁边有一堆谷糠和草料。她请他们吃个痛快。"今年冬天这个岛上很冷，雪很多，"她说，"我们的主人，那些农夫，给我们送来了干草和燕麦秆，免得我们活活被饿死。他们送来的东西就剩下这些了。"

大雁们立刻跑到那堆草料上面吃起来。他们觉得自己运气挺好，所以个个兴高采烈的。他们肯定看出来那些绵羊焦躁不安的，不过也知道，羊通常是易受惊吓的，因此他们并不相信眼下真会有什么危险。他们一吃饱，就打算像往常一样站立着睡觉。这时，那只大公羊站起来走到他们面前。大雁们心想，他们从来没有见过哪只绵羊长着这么长、这么粗的角。他身上别的地方也很特殊：前额高大而凸起、眼睛机灵敏锐、姿态威严高雅——仿佛是一只高傲英勇的动物。

"不对你们说清楚这里不安全，我不能不负责任地就让你们留下来，"他说，"我们目前无法留客人过夜。"阿卡终于明白问题的严重性。"既然你们真的希望我们离开这里，我们会走的，"她说，"但是你们可不可以先告诉我们，究竟是什么使你们这么忧虑？我们对这里一无所知，甚至连我们现在身在何处都不知道。"

"这是小卡尔斯岛，"公羊说，"它位于高特兰岛外围，在岛上居住的只有绵羊和海鸟。"

"你们大概是野羊吧？"阿卡问道。

"那还不至于，"公羊答道，"我们同人类没有什么关系。不过我们同高特兰岛上一个庄园的农夫之间有个古老的协定，那就是要是遇到多雪的冬天他们就给我们送来草料，我们就让他们牵走一些这里多余的羊以作为补偿。这是个小岛，所以养活不了太多的羊。

不过我们一年到头都是自己照看自己，我们不住在有门有锁的屋子里，而是住在这样的一个山洞里。"

"你们冬天也住在这里吗？"阿卡吃惊地问道。

"是呀，我们是住在这里过冬，"公羊答道，"在这座山上我们一年四季都有很好的草料。"

"听起来你们的生活比别的绵羊要好一些，"阿卡说，"那么你们现在遭受的不幸是什么呢？"阿卡问道。

"去年冬天格外冷，大海结了冰。三只狐狸就从冰上跑了过来，从此就在这里住了下来。要不是这，这个岛上是没有危险的食肉动物的。"

"狐狸也敢袭击你们这样的动物吗？"

"哦，不是！在白天是不敢的，白天我还是能够保护自己和我的伙伴的，"公羊说着，摇了摇他的角，"可是晚上我们在山洞里睡觉时他们就偷偷地袭击我们。我们尽量整夜不睡觉，可是谁都肯定要睡上一会儿。这时他们就扑了过来。他们已经把别的洞里的羊都咬死了，那里的羊群同我的羊群大小是一样的。"

"一提起我们是这样的无助无奈心里就不好受，"老母羊叹道，"如果我们是家羊，反倒能更好地保护自己。"

"你们觉得今天晚上那些狐狸还会来吗？"阿卡问道。

"这是肯定要发生的事情，"老母羊回答说，"昨天晚上他们就来了，偷走了一只羊羔。只要我们还有活着的，他们就一定会来的。在别的地方他们就是这么干的。"

"不过，让他们这样横行下去，你们很快就会被灭绝的。"阿卡说道。

"唉！用不了多久，小卡尔斯岛上的绵羊整个都会绝迹的。"老母羊唉声叹气道。

阿卡犹豫不决地站在那里。重新回到风暴里去实在是痛苦不堪，而留在这样一个有不速之客出没的地方也不好。她考虑了一会儿之后，转向大拇指说："你以前曾多次帮助过我们，不知道这次你愿不愿意再帮助我们。"她问道。

男孩回答说他很乐意。

"遗憾的是你又要一夜不能睡了，"阿卡说道，"不过我不知道你能不能一直不睡，等到狐狸来时就把我们叫醒，这样我们就可以飞走。"男孩虽然并不太乐意，但是这总比重新回到风暴里去要好，因此他答应不睡觉。

他走到洞口，蜷缩到一块石头背后去避避大风，就这样坐下来监视着。

男孩在那里坐了一会儿，风暴减弱了，天空晴朗起来，月光也开始在波浪上摇曳起来。男孩走到洞口朝外看。山洞位于这座山的很高的位置，有一条又窄又陡的山路直通到这里。可能他必须在这里等候狐狸。

他还没有看见狐狸，这时却有些东西把他吓得大惊失色。山脚下的那些狭长海滩上立着一些庞然大物，也许是巨人，也许是石头，也许就是人。他最初还以为自己是在做梦，然而现在他敢肯定自己根本没有睡着。他清清楚楚地看见这些巨人，不可能是幻觉。有些人站在海滩上，有些已经上了山，似乎要往上爬。有些长着又大又圆的脑袋，而另外一些人根本没有脑袋。有些只长着一只胳膊，而另外一些前后都长着驼背般的包。男孩从来没有见过这样的怪物。

男孩站在那里，被那些怪物吓得惶惶不安，差点忘记自己是来监视狐狸的。但是这时他听到利爪在石头上抓挠的声响，紧接着就看见三只狐狸爬上了陡坡。这时他才想到自己有正事要做，又镇静下来，一点儿也不害怕了。他突然想到，只叫醒大雁而让绵羊听凭命运的摆布于心不忍。他觉得自己对事情要另做安排。

他快速跑到山洞的尽头，一边摇晃着大公羊的犄角直到摇醒他，一边爬到他的背上。"快站起来，老人家！我们去给狐狸点儿厉害看看。"男孩说道。

他尽量不弄出声响。不过狐狸肯定是听到了一些动静，因为他们跑到洞口停下来商量了一番。

"里面肯定有谁在走动。"一只狐狸说道。

"我怀疑他们都还醒着。"另一只说道。

"往里面冲吧！"还有一只说，"反正他们也不能把咱们怎么样。"

他们往洞口里面走了走，又停了下来，用鼻子嗅了嗅。

"今天晚上我们抓哪个？"领头的那只狐狸小声问道。

"就抓那只大公羊，"最后一只狐狸说道，"以后对付别的就容易了。"

男孩坐在公羊背上，看见狐狸溜了进来。"直着向前顶！"男孩小声对公羊说。大公羊用力一顶，就把第一只狐狸顶回了洞口。"向左顶！"男孩边说边把公羊的大脑袋转到左边。公羊用犄角狠狠一戳，撞到了第二只狐狸的腰部。那只狐狸一连翻了好几个筋斗才站起来，仓皇而逃。男孩本来想着让第三只也挨一下子，可惜那只早已逃跑了。

"我想，他们今天晚上够受的了！"男孩说道。

"我也这么认为，"大公羊赞同道，"现在你就躺在我的背上，钻进绒毛里去吧！你在外边被风暴吹了整整一天，现在也应该暖和一下，睡上个舒服觉了。"

地 狱 洞

第二天大公羊驮着男孩在岛上到处转悠，让他看看岛上的风景。这个岛就是一整块巨大的岩石组成的，就像一所墙壁陡立而顶部平坦的大房子。大公羊先把男孩带到山顶，看了看那里肥美的草地。男孩不得不承认，这个岛似乎是专为绵羊而打造的一样。山上除了羊喜欢吃的酥油草和气味芳香的矮小植物之外，几乎不长别的什么植物。

但是对于登上山顶的人来说，除了羊吃的草之外确实还有值得观赏的地方。首先可以看到的是那辽阔的海面，蔚蓝的海水沐浴在阳光下，波涛滚滚，水光激滟，只在一两个岬角处才飞溅起白沫。正东方向耸立着高特兰岛，那里整齐的海岸一眼望不到头。西南方向是大卡尔斯岛，外貌和小卡尔斯岛几乎一样。公羊走到山顶边缘，这样男孩就能从陡壁往下俯视，他看到峭壁上布满了鸟窝，而在底下蓝色的海水里，美丽的黑海番鸭、绒鸭和海鸠在悠然自得地捕捉着小鱼。

"这真是一个令人向往的地方，"男孩说道，"你们绵羊住的地方可真美啊！"

"噢，是的！这儿确实很美。"大公羊说道，他好像还想说点儿什么，又没有说出来，

只是叹了口气。过了一会儿，他接着说道："你一个人在这里走动时，请务必小心到处可见的裂缝。"这个提醒可真好，因为山上好几个地方都有又深又宽的裂缝。最大的一个叫"地狱洞"，有数英尺深，将近六英尺宽。"谁掉下去，都非死不可。"大公羊说。男孩觉得他这番话似乎是话中有话。

然后大公羊驮着男孩来到了狭窄的海滩上。男孩这才看清，昨天晚上吓得自己万分惊恐的巨人原来是一些高大的石柱，大公羊把它们叫做"海滩巨石"。男孩怎么也看不够。他觉得如果真有山妖变成了石头，那么他们看上去应该就是这么怪异吧。

尽管海滩上景色也很美丽，男孩还是更喜欢山顶的景致。因为在山下到处可以看见羊的尸骨，这里正是狐狸吞食绵羊的地方。他看到有的是肉被吃掉后只剩下了骨架，有的吃剩一半，有的几乎还没有被动过。这些野兽扑向羊群只是为了取乐、追捕和杀戮，令人不寒而栗。

大公羊在尸骨前没有停，只是默默地走了过去。可是男孩难免看到了这一切骇人的惨景。

大公羊又往山顶上走去。走到山顶后他停下来说道："在狐狸得到应有的惩罚之前，任何一个聪明能干的人看到笼罩在这里的劫难都不会无动于衷、袖手旁观的。"

"狐狸也要活命呀。"男孩说道。

"不错，"大公羊认同道，"那些除了生存所需之外就不再滥杀滥捕的动物，当然可以活下去。可是这些却是罪大恶极的重犯。"

"这个岛的主人，那些农夫们，应该来这里帮助你们。"男孩提示说。

"他们划着船来过好几回，"大公羊回答说，"狐狸总是躲进山洞和裂缝里。农夫们开枪打不着他们。"

"老人家，您总不是说想叫我这样一个小得可怜的人儿去对付那些连您和农夫们都不能制伏的家伙吧？"

"机智勇敢的小人儿照样能够扭转乾坤，主持公道。"大公羊说道。

他们不再谈论这件事，男孩走到正在山顶上觅食的大雁们旁边坐了下来。虽然他不愿意在公羊面前流露出自己的感情，而他心里却为羊儿的不幸遭遇感到悲伤难过，并且很想帮助他们。"我起码可以找阿卡和雄鹅莫腾商量一下这件事，"他想，"说不定他们能帮我出个好主意。"

过了一会儿，雄鹅就驮着男孩越过山顶的平地朝着"地狱洞"那边去了。

雄鹅无忧无虑地在宽阔的山顶上漫步，显然没有意识到他又大又白是多么引人注目。他没有在小丘或者其他高处背后掩藏一下，而是一直往前走。奇怪的是，看得出他在昨天的风暴中没少受罪，但是却没有因此而更加小心一些。他的右腿一瘸一拐，左边的翅膀也耷拉在地上，好像折断了一样。

他不时地四处啄食着草叶，好像这里没有一点儿危险，向周围看都不看一眼。男孩平躺在鹅背上，仰望着蓝色的天空。他现在已特别习惯于骑在鹅背上，既能站起来又能躺在上面。

雄鹅和男孩都那么悠闲自得，也就没有注意到三只狐狸已经爬上了山顶。狐狸们知道，要在开阔地带谋取一只鹅的性命几乎是不可能的，因此决定先不去捕捉雄鹅。但是他们反正也没有别的事情可做，就跳进了一条很长的裂缝里，试图悄悄靠近他。他们行动十分谨慎，雄鹅一点儿也没有发现他们。

狐狸们离雄鹅不太远了，这时雄鹅试着往空中飞。他张开翅膀，可是没有飞起来。于是狐狸们更加兴致勃勃地向前冲去。他们不再待在裂缝里躲躲闪闪了，而是径直蹿上了山顶。他们利用土丘和凹陷的地势作掩护，以最快速度步步逼近。狐狸们终于近在咫尺，一纵身就能逮住雄鹅。三只狐狸便同时蹿起来扑向雄鹅。

雄鹅肯定是在最后一刻才发现有动静，因为他朝旁边一闪身，狐狸扑了个空。但是这并没有解除危险，因为雄鹅也只是跑在前面一两米处，而且还一瘸一拐的。但是可怜的雄鹅还是拼命地往前跑。

男孩倒骑在鹅背上朝着狐狸大呼小叫道："你们这几只狐狸，吃羊肉吃得太肥了，竟然连只鹅也追不上！"他的讥讽气得狐狸发了疯，一心只想着向前冲。

雄鹅径直朝着那个大裂缝飞跑过去，到了那里时翅膀一拍就飞了过去，而狐狸们几乎就要抓住他了。

越过"地狱洞"之后，雄鹅还是像刚才一样匆匆飞跑。可是还没有跑出两米远，男孩就拍拍他的脖子说道："现在你可以停下来啦，雄鹅。"

就在这时，他们听见身后传来疯狂的号叫和爪子抓挠岩石的声音，随后就听见身体坠落的沉重响声。之后，他们就再也没有看见这三只狐狸。

第二天早上，大卡尔斯岛上的灯塔看守员捡到一块从门底下塞进去的树皮，上面刻着歪歪扭扭的一行字："小卡尔斯岛上的狐狸掉进了'地狱洞'里。快去捡！"

那个灯塔看守员真的去了。

两 座 城 市

海 底 城 市

四月九日　星期六

这是一个静谧而晴朗的夜晚。大雁们没有钻进山洞里歇息，而是立着露宿在山顶上。男孩躺在大雁身边低矮干枯的草丛里。

月光皎洁，分外明朗。男孩辗转反侧，很难入睡。他躺在那里琢磨着自己离开家有多长时间了，掐指一算竟然出门飘荡三个星期了。这时，他忽然想起今天晚上是复活节前夕。

"今天晚上所有的妖女们都要从布拉库勒山上回家了。"他想着，暗自笑起来。因为他对水妖和精灵有一点儿害怕，但是却一点儿也不相信有妖女。

如果今天晚上真的有妖女出来，他早就应该看到她们了。天空如此明亮，哪怕有个最小的黑点在空中移动，也逃不过他的眼睛。

就在他面朝天躺着遐想时，忽然看见一个美妙的东西：月亮圆圆的，高高地挂在天空，一只大鸟从月亮前面飞了过来。他不是从月亮旁边飞过，而像是从月亮里飞出来的一样。他小小的身躯，细长的脖子，又长又瘦的两条腿自然下垂，看样子一定是只鹳鸟。

转眼之间，白鹳埃尔曼瑞奇先生飞落到了男孩身边。他弯下身来，用喙戳戳男孩想弄醒他。

男孩立刻坐了起来。"我没有睡着，埃尔曼瑞奇先生，"他说道，"您怎么半夜三更还在外面？格丽敏治大楼里情况怎么样？您想跟阿卡大妈说说话吗？"

"今天晚上月光太亮，我睡不着觉，"埃尔曼瑞奇先生回答说，"所以我就决定到卡尔斯岛这里来找你，我的好朋友大拇指。我从一只海鸥那里得知你今天晚上住在这里。我还没有搬回格丽敏治大楼，仍然住在波莫恩。"

想到埃尔曼瑞奇先生专程来找自己，男孩高兴极了。他们像两个老朋友一样无话不谈。最后白鹳问男孩想不想在这美丽的月夜骑在他背上出去兜兜风。

太好啦！男孩当然愿意，只要白鹳能在日出前把他送回到大雁们身边。白鹳答应了，于是他们就出发了。

埃尔曼瑞奇先生又径直朝着月亮飞去，他们越飞越高，身下的大海好像越陷越深。这次飞行格外地轻松平稳，男孩觉得自己仿佛一动不动地凝滞在空中似的。

埃尔曼瑞奇先生开始往下降落，男孩觉得这次飞行时间短得令人难以置信。

他们降落在一片荒凉的海岸上，上面覆盖着大小均匀的细沙。沿岸有很长一排沙丘，顶部长着蓬蒿。沙丘虽然并不高，但是挡住了男孩的视线，使他无法看到里面的陆地。

埃尔曼瑞奇先生站在一个沙丘上，蜷起一条腿，往后一歪脑袋，这样他就能把喙塞到翅膀底下。"我休息一会儿，"他对大拇指说道，"你可以在海滩周围走走，不过可别跑远了，不然迷了路你就回不到我这里啦。"

男孩打算先爬到一座沙丘上看看海岸的内陆究竟是什么样子。他刚走一两步，脚上的木鞋鞋尖就踩到一个硬邦邦的东西，他弯下腰去，看见在沙堆里有一枚小铜钱，铜绿斑斑驳驳，锈得几乎穿了孔。男孩觉得实在太破了，不想捡起来，于是一脚把它踢到了一边。

可是当他直起身时，他完全惊呆了，就在离他两步远的地方，耸立着一道黑黝黝的高墙，大门上还筑有塔楼。

就在他弯下腰去之前，眼前还是一片波光潋滟的大海，而转眼之间竟然竖起了一道筑有塔楼和城垛的城墙！就在他正前方，刚才还是长着海藻的浅滩，现在竟然开着个大城门！

男孩认为，这不过是妖魔鬼怪在作祟，没有什么可怕的。这并不是他一直害怕在夜里遇见的那些凶神恶煞。城墙和城门都建造得很壮观，他只想进去看看里面究竟是什么样子。"我一定要去看个明白。"他想着便走进了城门。

在幽深的门洞里，有几个身穿绣花宽袖衣服的卫兵，把长柄标枪扔在旁边，坐在那里掷骰子。他们全神贯注地玩着游戏，根本没有注意到匆匆走过去的男孩。

城门里面是一处广场，上面铺着平整的大石板。广场周围矗立着一排排高大而华丽的房屋，一条条狭长的街道通向四面八方。正对着城门的广场上人群熙熙攘攘。男人们外面披着镶皮毛边的长斗篷，里面穿着绫罗绸缎，头上歪戴着装饰着羽翎的圆帽，胸前挂着精致的金链。他们个个都穿戴华丽，俨然国王一般。

女人们头戴高高隆起的头巾，身穿紧袖长裙。她们的穿戴也很讲究，但是比不上男人们的富贵华丽。

这座城市本身似乎要比那些男男女女更值得一看，每幢房屋都有一堵山墙临街，山墙上布满了装饰，使人觉得它们是在竞相比美。

"像这样的东西我以前从来没有见过，恐怕以后再也见不到了。"他自言自语地说道。于是，他拔腿就跑进城里，穿过一条又一条街道。

那些街道笔直而狭窄，不过并不像他所熟悉的城市那样空荡荡的，死气沉沉的。这里到处是人。老太太们坐在自家门口纺线，她们不用纺车而只用纺锤。商人们的店铺就像集市上的货摊一样朝街敞开着大门。所有的手工匠人都在街上干活儿。一个地方在熬原油，另一个地方在鞣皮革，还有个地方是一个狭长的打绳场。

如果男孩有时间的话，这些手艺他都能学会。在这里他看到了制造兵器的铁匠怎样用铁锤敲打出薄薄的护胸铁甲，首饰匠怎样把宝石镶嵌到戒指和手镯上，车床工人怎样操作自己的车床，鞋匠怎样给红色软皮靴上鞋底，纺金线的工人怎样捻金线，纺织工人怎样把金丝银丝织进布匹里……

不过男孩没有时间久留。他匆匆向前跑去，以便在这一切消失之前尽量多看一些。当他从这座城市的一头跑到另一头，便来到了另一个城门，城墙外面就是大海和港口。男孩看到一些老式船只：划桨、坐板在中间，船头和船尾都有船舱。一些靠岸停泊着正在装货，还有一些正在抛锚。搬运夫和商人来往如梭。到处是一片繁忙热闹的景象。

但是男孩知道在这里也不能耽搁。他转身又赶紧向城里跑去。他来到了那个广场。广场上屹立着的大教堂有三个高高的钟楼，幽深的拱状门洞里陈列着各式各样的塑像。透过敞开的大门就能看到，里面更是金碧辉煌：镀金的十字架，金铸的祭坛，身披金黄色法衣的牧师们！正对着教堂有一所房子，屋顶四周雉堞围绕，中央一座高耸入云的尖塔，那可能是市政厅。在市政厅和教堂之间，环绕着广场的是装饰华丽、各式各样的楼房。

男孩跑得又热又累，他放慢了脚步。现在他拐进来的这条街道应该是居民们购买华丽服装的地方。他看到那些小店铺门前站满了人，商人们展示着平展的绫罗绸缎、绚丽多彩的天鹅绒、柔软飘逸的纱巾和薄如蝉翼的花边。

在这之前，男孩跑来跑去，从没有人注意到他。人们肯定把他当做了一掠而过的灰色小老鼠。但是现在，当他沿着街悠然漫步时，一个商人看见了他，便向他招起手来。

一开始男孩忐忑不安，想躲到一边去。可是那个商人却频频招手，满脸微笑，好像

是为了吸引他，商人又在柜台上摊开一块非常漂亮的锦缎。

男孩摇了摇头。"我永远也不会买得起一米这样的布。"他心想。

这时整条街上各家店铺里的人都看见了他。不管他朝哪个方向看去，总会有商人站在那里朝他频频招呼。他们把那些有钱的顾客丢在一边，反而只想着要招待他。他看到那些商人们是怎样匆匆忙忙地跑进店铺里，在最隐蔽的角落里取出他们最好的货物，他们又是怎样一边把货物放到柜台上，一边因为慌乱和激动而双手瑟瑟发抖。

男孩继续往前走。一个商人竟然跨过柜台跑出来追上他，把一些色彩鲜艳的绸缎和壁毯铺在他的面前。男孩禁不住对他大笑了起来。那个商人应该明白，像他这样一个可怜的小人儿是买不起这么贵重的东西的。他停住脚步，摊开空空的双手，这样他们就会知道自己身上一无所有，不会再来纠缠他了。

可是那个商人却竖起了一根手指头，朝他连连点头，并把那一大堆华丽的物品都推到他的面前。

"难道他的意思是，所有这些东西只卖一个金币？"男孩猜测着。

那个商人掏出一枚磨损得残缺不全的小钱币，也就是说价值最小的那种，让男孩看看。看来那个商人急于要做成这笔买卖，因为他又在那堆物品上加了一对又大又重的银质高脚杯子。

这时男孩开始把手插进口袋里。他明明知道自己身无分文，但是还是情不自禁地在口袋里摸索起来。

其他商人都围在旁边，看看这宗买卖能不能成交。当他们看到男孩开始在口袋里摸索时，便纷纷翻过柜台拿出大把大把的金银首饰向他兜售。大家都向他表示，他们的东西只卖一个小钱。

于是男孩把背心和裤子的口袋翻了个底朝天，想让他们知道他的确身无分文。这时，这些贵族般的商人们一个个都泪眼汪汪的，其实他们比他富得多。但他们看上去如此伤心难过，男孩终于感动了，思索着他能不能想出个办法来帮帮他们。他忽然想起刚才在海滩上见到的那枚生锈的铜钱。

他撒腿就往回跑，运气还不错，一跑就来到了刚才进城来的那个城门。他冲出城门，跑到海滩上就开始寻找刚才还在海滩上的那枚锈满铜绿的铜钱。

他很快就找到了，但是当他捡起铜钱要带着跑回城里去时，他的眼前却只有一片汪洋大海。城墙不见了，城门不见了，卫兵、街道、房屋全都不见了，只剩下一片大海。

就在这时，埃尔曼瑞奇先生醒了，来到男孩身边。但是男孩却没有听见他走过来，白鹳不得不用喙去戳戳他，好让他看见自己。

"我想你跟我一样，刚才也在这里睡了一觉吧。"埃尔曼瑞奇先生说道。

"噢！埃尔曼瑞奇先生！"男孩惊呼道，"刚才还在这里的那座城市是哪一座城市呀？"

"你看见了一座城市？"白鹳问道，"我说你是睡着了做了个梦吧。"

"不是的！我没有做梦。"大拇指说，于是他把刚才的所见所闻一一向白鹳讲述了一遍。

埃尔曼瑞奇先生听完说道："在我看来，大拇指，我还是认为，刚才你在海滩上睡着了，梦见了你所说的一切。不过，不瞒你说，鸟类中最有学问的渡鸦巴塔凯有一次对我讲过，从前在这个海滩上曾经有过一座名叫威尼塔的城市。那是一座物质极其富裕、生活极其幸福的城市，从来没有哪座城市能够像它那样金碧辉煌。可是不幸的是，城市里的居民狂妄自大，沉溺于骄奢淫逸之中。作为一种惩罚，巴塔凯说，整个威尼塔城被大水淹没并沉入了海底。城里的居民不会死去，整个城市也没有被摧毁。并且每隔一百年的某个夜晚，这个城市就带着它昔日的豪华风貌从海底浮出水面，不过在地面上停留只不过一个小时。"

"对呀，肯定是这样的，"大拇指说道，"因为我亲眼见到了这座城市。"

"在它停留在地面的这一个小时之内，如果威尼塔城里没有一个商人能够把任何东西卖给一个活人的话，一小时过去之后，这座城市就会重新陷入海底。大拇指，假如你能有一枚很小的铜钱付给那些商人，威尼塔城也许就保留在了这个海岸上，城里的居民也就可以像其他人一样有生有死啦。"

"埃尔曼瑞奇先生，"男孩说道，"现在我明白了，您为什么今天半夜里把我接到这里来。正因为您以为我能够拯救那座古老的城市。事情并没有让您如愿以偿，我感到非常难过。"

男孩用双手捂住脸哭了起来。很难说，究竟是男孩还是埃尔曼瑞奇先生更伤心一些。

活着的城市

四月十一日　星期一

复活节的第二天，大雁们和大拇指又继续向前飞行，他们来到了高特兰岛上空。

他们身下的这个大海岛地势非常平坦。岛上的土地像斯康耐境内的那样，也是呈一个个方格状。这里有许多教堂和农庄。

大雁们沿着穿越高特兰岛的路线飞行，完全是为了大拇指。这两天他好像变成了另外一个人，没说一句高兴的话。这是因为他一心只想着那座曾这么奇怪地出现在他眼前的城市。他从来没有见过如此美丽的城市，而自己却未能拯救它，他怎么也不能原谅自己。

阿卡和雄鹅尽力要让大拇指相信，他只不过是做了一个梦，或者是一种幻觉，可是他一点儿也听不进去诸如此类的话。他坚信自己真的看到了曾出现在他眼前的那一切，谁也不能动摇他的这种观念。他郁郁寡欢地走来走去，他的旅伴们都为他担心起来。

正在男孩最郁闷的时候，老卡克希回到了雁群。她被狂风卷到了高特兰岛上，不得已穿过整个岛屿才从几只乌鸦那里打听到旅伴们在小卡尔斯岛上。当卡克希得知大拇指心情不好时，不假思索地说道："要是大拇指是在为一座古老的城市而难过的话，那么我们很快就可以安慰他了。跟我走吧，我把你们领到我昨天见过的那个地方，他很快就不会那么伤心了。"

不大一会儿工夫，大雁们就上路了，向卡克希要让大拇指看的那个地方飞去。尽管他心情很压抑，还是忍不住像往常一样低头往下观望。

男孩骑在鹅背上往下看了很长一段时间，这时猛然向前一看，大吃一惊。原来还没有等他发觉，大雁们已经飞过了岛上的内陆，正向西朝海岸飞去。辽阔碧绿的大海又展现在他的面前。然而，大海并没有什么出奇的地方，使他吃惊的是一座矗立在海岸上的城市。

男孩是从东面飞过来的，当时太阳正好开始西落。当他靠近那座城市时，那里的城墙、碉楼、带有山墙的高房和教堂在明亮的夜空衬托下全都显得非常黑暗，所以他看不清那座城市的真实面目。刚看头几眼，他觉得，这座城市跟他在复活节前夕所见到的那一座一样漂亮华丽。

当男孩真的来到这座城市的上空时，他才看清它同那座海底城市又像又不像。这两座城市之间的差别，就好像是看到一个人有一天穿金戴银、珠光宝气，而在另一天却衣衫褴褛、一贫如洗一样。

不错，这座城市也曾有过他骑在鹅背上还念念不忘的那座海底城市的辉煌。这座城市也曾环绕着一道碉楼高耸、城门赫然的城墙。然而，还残留在地面上的碉楼已经没有了屋顶，四壁残垣，空空荡荡。城门没有了门板，卫兵和武士也无影无踪。往日的显赫辉煌已经一去不复返，剩下的只有光秃灰暗的断壁残垣。

当男孩飞进市区时，他看到城里多半是低矮的小屋，偶尔也看到过去遗留下来的几幢有山墙的高房和教堂。那些高房的墙壁刷成了白色，没有任何装饰。不过，男孩刚看过那座沉没的城市，所以他似乎知道这些房屋过去是怎样装饰的：有的墙上雕刻着塑像，有的镶嵌着黑白相间的大理石。而现在，连古老的教堂也是一片破败的样子，大多数已经没有了屋顶，只剩下四壁残垣。窗孔处什么也没有，地面上杂草丛生，墙壁上爬满了常春藤。可是男孩知道那些教堂过去是什么样子：墙上挂满了图画和塑像，圣堂里有金铸的祭坛和镀金的十字架，身披金黄色法衣的牧师们在走动着。

男孩也看到那些狭窄的街道上，竟然在盛大节日的下午空无一人。然而他却知道，昔日里身穿盛装的人们是怎样在街上川流不息、熙熙攘攘！

大雁们在城市上空飞了好几个来回，好让大拇指看清那里的一切。最后他们降落在一个杂草丛生的教堂遗址上，准备在那里过夜。

大雁们早已进入了梦乡，而大拇指却怎么也睡不着。他透过那露天的圆顶仰望着夜空。他在那里坐了一会儿，就下决心不再为自己无力拯救的那座沉没城市而烦恼了。

是呀，看到眼前这座城市以后，他再也不愿意为此而烦恼了。如果那座城市没有再一次沉入海底，也许多少年以后它也会变得跟这座城市一样破烂不堪。也许它经不起岁月的摧残，就像这座城市一样，只剩下没有屋顶的教堂、光秃秃的房屋和荒凉空旷的街道。与其如此，还不如让它风采依旧地留在海底呢。

"过去的事情就让它过去吧。"男孩想，"即便我有能力拯救那座城市，我想我也不会那样做了。"从此，他再也没有为那件事而烦恼过。

肯定有很多年轻人会这么想。可是当人们年老了，已经习惯于无所企求、知足常乐时，比起海底的那座壮丽辉煌的威尼塔城，他们也许会更加喜欢现实存在的维斯比城。

乌鸦

瓦罐

在斯摩兰西南角有一个名叫索尼尔博的地方，那里地势平坦。如果有人在冬天白雪皑皑的时候看见那个地方，一定会以为积雪下面无非就是花园、黑麦田和车轴草地，就像一般平原地区那样。但是，在四月初，当索尼尔博地区的冰雪融化后，这时就能看清原来积雪下面只是一些干燥的沙质荒地、光秃秃的岩石和大片湿软的沼泽地。当然，间或也有一些耕地，但是面积小得几乎不值一提。还有一些红色或灰色的小农舍掩藏在桦树林里，它们好像怕见人似的。

在索尼尔博与哈兰省的交界处，有一片辽阔的沙质荒地，一望无际。荒地上除了石楠外其他什么也不长，并且要想在这里种植其他植物使其苗壮生长也不容易——必须把石楠铲除干净才行。因为这种植物的特性是：即便它的树根已经枯萎成一小点，树枝萎缩得又短又细，叶子也干枯萎缩了，它还是认为自己是一棵树，所以仍像真正的树木那样，大面积繁殖成林，紧紧地抱在一起，把那些挤进它们地盘的外来植物置于死地。

荒原上石楠没有完全霸占的唯一一个地方就是横贯荒原的一条低矮、多石的山脊。那里长着杜松和白蜡树，还有少量的高大威武的橡树。尼尔斯跟随大雁们四处漫游的时候，那里还有一间小屋，四周环绕着一小块田地。不过，曾经居住在那里的主人因为某种原因早已搬走了。小屋现在空着，田地也一直闲置着。

临走时主人关上了炉子，插好了窗户的插销，锁住了门。但是谁也没有想到窗上那个玻璃被打碎的地方是用破布遮挡着的。经过两个夏季的风吹雨淋，那块破布也发霉收缩了，最后，一只乌鸦把破布啄掉了。

那只从窗户上啄掉破布的乌鸦是一只名叫白羽嘎尔木的公乌鸦，可是大家都叫他迟儿或钝儿，或者干脆叫他迟钝儿，因为他总是笨头笨脑的，除了被当做笑料外什么用处也没有。迟钝儿比其他乌鸦都要高大强壮，但是这帮不上他一点儿忙，他仍然是大家捉弄的对象。他名门的出身也没有给他带来什么好处。按理说，他本应该成为整个鸦群的首领，因为这一荣誉自古以来就一直属于最古老的白羽家族。但是早在迟钝儿出生之前，这一权力已经转移了，现在由一只名叫黑旋风的凶残野蛮的乌鸦掌权。

这次权力移交是因为乌鸦山上的乌鸦们想改变一下自己的生活方式。也许很多人以为，所有乌鸦的生活方式都是一样的，事实上并非如此。一些乌鸦过着很体面的生活，也就是说，他们只吃谷物、虫子和已经死亡的动物；而另外一些乌鸦则过着强盗般的生活，他们袭击幼兔和雏鸟，洗劫每一个他们看见的鸟巢。

过去的白羽家族纪律严明，行为节制。他们领队的那些年里，乌鸦们不得不行为检点，使得其他鸟类对他们无可挑剔。但是乌鸦数量很多，生活也非常贫困。他们不愿意再过那种清规戒律的生活，于是起来造了白羽家族的反，把权力交给了一只叫黑旋风的乌鸦。乌鸦黑旋风是一个最残暴的鸟巢洗劫者和强盗，而且他的老婆随风飘比他还要坏。在他们的带领下，那些乌鸦便开始了另一种生活，如今他们竟然比苍鹰和雕还要可怕。

迟钝儿在这群乌鸦中自然也就没有发言权了。乌鸦们一致认为，他一点儿也不像他的父辈，因此不配当首领。要不是他经常干一些蠢事，谁也不会注意他。一些明智的乌鸦曾说，迟钝儿呆头呆脑对他来说也许是件好事，不然的话，黑旋风和随风飘是不会让他这样一个老首领家族的后代留在乌鸦群里的。

现在，他们反倒对他很友好，并愿意带着他去抢劫，因为那时他们都可以看出自己比他熟练得多，而且勇敢得多。

乌鸦中谁也不知道是迟钝儿将破布从窗户上撕掉的，如果他们知道是他干的，他们一定会非常震惊。他们从来没有想到，他竟然敢接近人类居住的房屋。迟钝儿对这件事极为保密，这样做是有他充分的理由的。白天，当其他乌鸦在场的时候，黑旋风和随风飘对他还算好。但是，在一个漆黑的夜晚，当许多乌鸦一起栖息在树枝上时，他遭到几只乌鸦的袭击，差点儿被弄死。从此，每天晚上天黑时，他就离开平时睡觉的地方，到那间空房子里去过夜。

一天下午，当乌鸦们在乌鸦山上筑好巢以后，偶然发现了一个奇异的东西。黑旋风、迟钝儿和另外几只乌鸦飞进了荒原一角的一个大坑里。那不过是人们采石后留下的一个坑而已，但是乌鸦们对这样一个简单的解释并不满意，而是继续往下飞，翻遍每一颗沙粒，以便找出人们挖这么大个坑的原因。正当乌鸦们在下面乱翻乱找时，一块砾石从旁边滚了下来。他们立即冲了过去，幸好在塌下来的石头和沙土里发现了一个用木盖子封着的大瓦罐。他们自然想知道里边有没有东西，于是一边用嘴使劲在瓦罐上啄洞，一边试图撬开盖子，但是都没有成功。

正当乌鸦们站在那里茫然地望着瓦罐时，忽然听到有谁在说："要不要我下来帮忙呢？" 他们迅速抬起头来，只见在大坑的边上蹲坐着一只狐狸，往下看着他们。无论从毛色上还是从体形上来说，他都是他们所见过的最漂亮的狐狸之一。唯一的缺点就是他少了半只耳朵。

"如果你想帮我们的忙，我们是不会拒绝的。"黑旋风说。

这时，他和其他的乌鸦从大坑里飞了上来。于是狐狸跳下坑去，一会儿对着瓦罐撕咬，一会儿又撕扯盖子，但是他也打不开它。

"你能听出来里面装的是什么东西吗？"黑旋风问。

狐狸把瓦罐滚来滚去，并仔细倾听里面的声音。"里面装的肯定是银币。"他说。

这可是大大出乎乌鸦们的预料。"你认为里面是银币吗？"他们问道，急得眼珠子都快掉出来了。听起来可能很奇怪，世界上再也没有比银币更让乌鸦喜欢的东西了。

"听听里边叮叮当当的响声吧！"狐狸说着又把瓦罐滚了一遍。"只是我不知道怎样才能拿出来。"

"是啊，肯定是不可能的。"乌鸦们说。

狐狸站在那里，一边把头在左腿上来回蹭，一边思考着。也许他现在可以借助乌鸦的力量把那个一直没有抓到的小人儿弄到手。

"噢！我知道谁能给你们打开这个瓦罐。"狐狸说。

"快告诉我们！快告诉我们！"乌鸦们喊道，他们太激动了，又跟跟跄跄地飞进了大坑。

"我可以告诉你们，不过你们得首先答应我的条件。"他说。

接着，狐狸将大拇指的情况告诉了乌鸦们，并且说如果他们能把大拇指带到这片荒原，他会给他们打开瓦罐。但是作为对这个建议的回报，他要求一旦大拇指为他们拿到银币，他们必须立即将大拇指交给他。乌鸦们觉得没必要放过大拇指，因此随即就答应了他的要求。答应这件事很容易，但是找到大拇指和大雁们歇息的地方却不是件容易的事情。

黑旋风亲自带领着五十只乌鸦出发了，并且说他很快就会回来的。但是一天又一天过去了，乌鸦山上的乌鸦连大拇指的影子都没有看见。

遭乌鸦劫持

四月十三日　星期三

天一亮大雁们就开始活动了，以便在动身去东耶特兰省之前能够找到吃的东西。他们在高斯湾过夜的那个岛是个光秃秃的小岛，不过岛周围的水里长着一些能让他们吃饱肚子的水草。然而对男孩来说就糟糕了，他找不到一点儿可吃的东西。

他站在那里又饿又困，四处张望，这时他看见石岛对面那个树木丛生的海岬上几只松鼠正在玩耍。他想也许松鼠还剩下一些过冬的食物，于是就请雄鹅把他带到海岬那边去，好跟松鼠要几个榛子吃。

雄鹅驮着他很快就游过了海峡，但不走运的是，松鼠们正兴致勃勃地互相追逐着，从一棵树上追到另一棵树上，根本顾不上听男孩说话。他们追逐着进了树林，男孩慌忙追了过去，站在岸边等他的雄鹅很快就看不见他了。

尼尔斯正在与他下巴相齐的番红花之间深一脚浅一脚地走着，突然他觉得有人从背后抓住了他并试图把他提起来。他回头一看，只见一只乌鸦啄住了他的衣领。他奋力想挣脱，可是还没有来得及，另一只乌鸦冲上来，啄住了他的袜子，把他拖倒了。

如果尼尔斯立即喊救命的话，白雄鹅一定能够搭救他。但是，也许男孩觉得没有别人帮助他依然能够对付两只乌鸦，保护自己。他又是拳打又是脚踢，但是乌鸦们就是叼住他不放，并提着他飞向了空中。更糟糕的是，乌鸦们飞行时毫不在意，竟然把他的头撞到了一根树枝上。头部受到猛烈的撞击后，他两眼一黑，失去了知觉。

当他再次睁开眼睛的时候，发现自己已远离地面了。他慢慢地恢复了知觉，刚开始他不知道自己身在何处，也不知道看见的是什么。当他往下看时，觉得下面铺着一块毛茸茸的大地毯，上面织着红红绿绿的不规则的大图案。地毯又厚实又漂亮，但是他觉得遗憾的是人们并没有很好地使用它。实际上地毯已经破烂不堪，到处是横七竖八的裂缝，甚至有的地方大块大块地撕掉了。最为奇怪的是，地毯竟然铺在用镜子做成的地板上，在破洞和裂缝处露出了光亮耀眼的玻璃。

这时，男孩看到太阳在空中冉冉升起。地毯上破洞和裂缝下面的玻璃镜子立刻发出红色和金色的光芒。这景象看上去绚丽多彩，男孩被迷住了，虽然他不知道看到的是什么。这时乌鸦们开始降落了，他立即明白过来，原来他身下的大地毯是土地，上面覆盖着翠绿的针叶树和光秃秃的褐色阔叶林，那些破洞和裂缝原来是波光粼粼的海湾和小湖。

他记得，他第一次在空中飞行的时候，当时觉得斯康耐的土地看上去像一块方格布。但是这个地方看上去像一块撕烂的地毯，它会是哪里呢？

他开始向自己提出许多疑问。为什么他没有骑在雄鹅的背上？为什么有那么多乌鸦围着他飞行？为什么他被扯来扯去，几乎要把他撕成两半儿？

突然之间他对这一切恍然大悟。原来他是被几只乌鸦劫持了。白雄鹅还在岸边等着他，而且今天大雁们准备向东耶特兰飞行。他正被乌鸦们带向西南方，这一点他是知道的，因为太阳就在他的身后。他身下的这块大森林地毯肯定是斯摩兰了。

"我现在不能照顾白雄鹅了，他会不会出什么事？"男孩想到这里，开始向乌鸦们吼叫，要他们立刻把他送回大雁们的身边。他一点儿也不担心自己的安危，因为他以为乌鸦们把他抢走纯粹是出于一种恶作剧。

乌鸦们毫不理会他的喊叫，仍旧快速向前飞行。过了一会儿，一只乌鸦拍打着翅膀示意道："注意！危险！"接着，他们就扎进了一个杉树林里，穿过繁密的树枝，落在地上，把男孩放在一棵枝叶茂密的松树下，把他藏得很严实，即便是猎鹰也发现不了他。

五十只乌鸦用尖尖的嘴对着他，把他团团围住。"乌鸦们，现在你们也许应该让我知道你们把我带到这里来的原因了吧。"他说。

然而，他话还没说完，一只大乌鸦就哑着嗓子对他叫道："住嘴！否则我就挖掉你的眼睛。"

显然，这只乌鸦是认真的，除了服从，男孩别无选择。因此，他坐在那里，盯着乌鸦，乌鸦们也盯着他。

他越看越不喜欢他们。他们的羽毛特别肮脏凌乱，好像从来都没有用水洗刷过；爪子上沾满了干泥巴；嘴角上挂满了食物渣子。他发现，他们是和大雁们差别很大的鸟类。他觉得，他们长相凶狠残暴、鬼鬼祟祟、疑虑重重、粗鲁莽撞，简直是一群恶棍和无赖。

"我今天肯定遇到了一帮十足的强盗。"他自言自语道。

就在这时，他听到大雁们在他头顶上呼喊。

"你在哪儿？我在这儿。你在哪儿？我在这儿。"

他知道是阿卡和其他大雁来找他了，但是还没有等他回答大雁们，那只看上去是这帮强盗的头领的大乌鸦在他的耳边哑着嗓子威胁说："想想你的眼睛！"看来除了保持沉默外，他暂时无计可施。

他又听到他们呼叫了几次，后来就听不到了。大雁们并不知道他们离得这么近。"好吧，现在就看你自己的了，尼尔斯·豪格尔森，"他想，"现在你必须证明在这几星期的野外生活中是否学到了什么。"

过了一会儿，乌鸦们发出了起飞的信号。显然，乌鸦们还是想跟刚才一样提着他飞行：一只乌鸦叼着他的衣领，另一只叼着他的袜子。男孩说道："难道你们中间就没有一个能背得动我的吗？你们刚才那样叼着我飞，把我难受得我感觉自己好像快被撕成碎片了。让我骑在背上飞吧！我保证不从背上跳下去。"

"噢！你可不要以为我们会在意你感觉如何。"乌鸦的头目厉声叫道。

就在这时，那只最大的乌鸦——一只羽毛凌乱、笨手笨脚、翅膀上长了一根白色的羽毛的乌鸦——走上前来说道："黑旋风，如果把大拇指完整地而不是扯成碎片地带回去，对我们大家都会有好处。因此我来把他背回去吧。"

"如果你能背得动，迟钝儿，我不反对，"黑旋风说，"可别把他弄丢了。"

男孩觉得他已经取得了很大的胜利，因此又高兴了起来。"我是被这些乌鸦劫持来的，失去了勇气就什么也干不成了，"他心想，"我一定能够对付这群坏蛋。"

乌鸦们继续在斯摩兰上空朝西南方向飞行。这是一个美丽的上午，风和日丽，地上的小鸟儿正唱着最动听的情歌。在一片高大幽暗的树林里，一只鸫鸟垂着翅膀，憋粗嗓子，唱了起来。

"你多漂亮！你多漂亮！你多漂亮！"他唱道，"没有谁比你更漂亮！没有谁比你更漂亮！没有谁比你更漂亮！"这支歌他唱了一遍又一遍。

这时男孩正好经过树林上空。他用两只手合成一个小喇叭，放在嘴边向下面喊道："我们早就听过这支歌了！我们早就听过这支歌了！"

"是谁？是谁？是谁在嘲笑我？"鸫鸟问道，并且东张西望，想看到是谁在说话。

"是一个被乌鸦劫持的人在嘲笑你唱的歌！"男孩答道。乌鸦的头目听到这话，立即掉过头来说："当心你的眼睛，大拇指！"

但是男孩却想："哼！我才不在乎呢。我要让你知道我是不怕你的！"

他们越飞越深入内陆，到处都是森林和湖泊。在一片桦树林里，斑鸠夫人站在一根光秃秃的树枝上，她的前面站着斑鸠先生。斑鸠先生鼓起羽毛，仰着脑袋，身子一起一落，腹部的羽毛对着树枝在颤动，同时还不停地咕咕叫着："你，你，你是这片森林里最可爱的鸟。这片森林里谁也没有你可爱，你，你，你！"

男孩正好从这里飞过，当他听到斑鸠先生的话时禁不住开口了。"你别相信他！你别相信他！"他喊道。

"谁，谁，谁在说我的坏话？"斑鸠先生咕咕地叫着，并努力寻找是谁在向他喊叫。

"是一个被乌鸦抓走的人在说你的坏话！"男孩答道。

黑旋风又朝他转过头来，命令他闭上嘴巴，但是驮着男孩的迟钝儿却说："让他说吧，这样一来所有的小鸟就会认为，我们乌鸦已变成机智幽默的鸟了。"

他们飞过的地方多半是森林和林地。在一个地方，他们看到了一座漂亮古老的庄园，庄园里长着高大而茂密的醋栗树。一只椋鸟在树上鸟窝里孵蛋。

"我们有四个漂亮的小蛋，"椋鸟唱道，"我们有四个漂亮的小圆蛋，我们窝里盛满了宝贝蛋。"

当椋鸟唱到第一千遍时，男孩正好从这里飞过，他把双手放到嘴上合成圆筒状，然后对他喊道："喜鹊会来抢走的！喜鹊会来抢走的！"

"是谁在吓唬我？"椋鸟一边问一边不安地拍打着翅膀。

"是一个被乌鸦抢走的人在吓唬你！"男孩说。

这一次乌鸦的头领不但没有试图制止他，反而觉得很有趣，因此满意地呱呱叫了起来。

他们越是往内陆方向飞，湖泊便越来越大，岛屿和岬角也越来越多。一只公鸭站在湖泊的岸边，正在对一只母鸭献殷勤。

"我会对你终生不渝，我会对你终生不渝。"公鸭说。

"他对你的忠贞连夏天也过不了。"男孩喊道。

"你是谁？"公鸭问。

"我的名字叫被乌鸦偷走的人！"男孩答道。

该吃午饭时，乌鸦们落到了一块牧场上。他们到处跑着寻找自己吃的食物，可是谁也没有想着给男孩找点吃的东西。这时，迟钝儿衔着一段带着几个干花果的犬蔷薇枝飞到他们的头领面前。

"给您吃的，黑旋风，"他说，"这很好吃，很合您的口味。"

而黑旋风却嗤之以鼻，"你以为我会吃陈腐干枯的花果吗？"他不屑地说。

"我原以为你会喜欢呢！"迟钝儿一边说着一边好像很失望地扔掉了犬蔷薇枝。结果蔷薇枝正好落在男孩面前，他毫不迟疑地抓了起来，吃了个痛快。

乌鸦们吃饱后，就开始聊起天来，吹嘘自己干的坏事。

这时男孩觉得他再也听不下去他们的这些胡言乱语。"现在听我说，乌鸦们！我觉得，这样鼓吹自己的恶劣行为你们应该感到羞耻。我在雁群中生活了三个星期，从来没有听说或看见他们做过什么坏事。你们肯定有一个坏头领，他竟然允许你们这么去抢劫杀戮。你们确实应该开始过一种新的生活，因为我可以告诉你们，人类对你们的罪恶行为已经烦透了，他们正全力以赴地设法灭除你们。你们的末日就要来了！"

黑旋风和其他乌鸦听到这些话怒不可遏，他们真想扑上去把他撕成碎片。而迟钝儿却一边大笑一边呱呱叫，站在男孩前面挡住了他们。"噢，别这样！别这样！"他说道，好像特别害怕，"你们想，要是你们在大拇指为我们搞到银币之前就把他撕成了碎片，随风飘会说什么呢？"

"迟钝儿，也就是你怕女人。"黑旋风说。但是不管怎么样，他和别的乌鸦还是放过了大拇指。

这之后不久，乌鸦们又开始飞行了。到目前为止，男孩觉得，斯摩兰并不像他听说的那样贫瘠。这里虽然林木丛生，山脉连绵，但是沿着岛屿和湖泊却是耕地，他还没有看到真正荒凉的地方。可是，越往内陆飞行，村庄和房子也越稀少。直到最后，他觉得自己就在名副其实的荒野上空飞行，那里除了沼泽地、荒地和杜松外什么也没有。

太阳已经落山了，但是乌鸦们到达那片长满石楠的荒原时，天色还很亮。黑旋风派一只乌鸦前去报信，说他已经胜利归来。随风飘得到喜讯后，便带着乌鸦山上的数百只乌鸦飞上前去迎接。在乌鸦们一阵震耳欲聋的呱呱声中，迟钝儿对男孩说："你一路上这么幽默、欢快，我真喜欢你。因此，我想给你一些建议。我们一降落在地，他们就会叫你做一件对你来说很容易的事。但是你可要防备着点儿。"

说完不久，迟钝儿把尼尔斯放进一个沙坑的底部。男孩滚到地上，躺在那里好像是累死了过去。那么多的乌鸦在他的周围扑打着翅膀，就像是刮起了一阵风暴，但是他却看都不看一眼。

"大拇指，"黑旋风说，"马上起来！你要帮我们做一件对你来说很容易的事。"

男孩没有动，而是装做睡着了。这时黑旋风叼住他的一只胳膊，把他拖到沙坑中那个古老瓦罐跟前。"起来，大拇指，"他说，"打开这个罐子！""你为什么不让我睡觉？"男孩打着哈欠说，"我太累了，今晚什么也干不成。等到明天再说吧！"

"打开瓦罐！"黑旋风边说边摇晃着他。"我这么个可怜的小孩儿怎么能打开这样一个瓦罐呢？它简直和我一样大。"

"打开它！"黑旋风又一次命令道，"否则对你没有好处！"

男孩站了起来，蹒跚着来到瓦罐跟前，笨手笨脚地在盖子上摸了几下，手又耷拉了下来。

"我平常也不是这么没劲儿的，"他说，"只要你们让我睡到明天早晨，我想我能打开盖子。"

但是黑旋风却不耐烦了，他扑上去，啄住了男孩的腿。男孩不能容忍一只乌鸦这么对待他，他挣脱对方，猛地后退了两步，从刀鞘里抽出小刀，对准前方，对黑旋风威胁道："你最好还是小心点儿！"

黑旋风勃然大怒，顾不上躲闪，像一个瞎子一样冲向男孩，径直撞在刀子上，刀子从眼睛里插进了他的脑袋。男孩立刻把刀子抽了回来，而黑旋风拍了一下翅膀就倒在地上死了。

"黑旋风死了！那个陌生人杀死了我们的头领黑旋风！"站在男孩身边的几只乌鸦大叫起来。接着爆发出一片恐怖的喧嚣，有的乌鸦号啕大哭，有的则叫喊着要报仇。他们一齐跑向或扑向男孩，迟钝儿在最前面。但是像往常一样，迟钝儿表现不好，他只是拍打着翅膀，展开翅膀盖住男孩，不让其他乌鸦靠近他和用嘴啄他。

男孩这时觉得，情况看起来对他不利。他既不能从乌鸦群中逃走，也没有地方可以藏身。这时，他突然想起来那个瓦罐。他紧紧抓住上面的盖子，抠开了瓦罐。他跳进瓦罐想藏起来。可是瓦罐不是一个藏身的好地方，因为里边几乎装满了薄薄的小银币，他藏不进去，于是他弯下腰，开始往外扔银币。

这时，乌鸦们已把他密密麻麻地围起来要去啄他，然而当他把银币往外扔时，他们立刻忘记了报仇，而是急急忙忙地去捡银币。男孩大把大把地往外扔银币，所有的乌鸦，甚至是随风飘自己，都在捡钱币。每只捡到银币的乌鸦都以最快的速度飞回窝里，把银币藏了起来。

男孩把所有的银币都抛出来之后，抬起头一看，沙坑里只剩下一只乌鸦，就是翅膀上长着一根白色羽毛、驮着他的迟钝儿。"你帮了我一个你自己也想不到的大忙，"那只乌鸦用一种不同于以前的语调说道，"所以我想救你一命。坐在我的背上吧，我要把你带到一个今晚安全过夜的藏身之处。明天我再想办法让你回到大雁那里去。"

小 屋

四月十四日　星期四

第二天早晨，男孩醒来时发现自己躺在一张床上。当他看到他是在一间四面有墙、上有屋顶的房子里时，他以为自己是在家里。"不知道妈妈会不会很快端着咖啡进来。"他躺在那里迷迷糊糊地嘟囔着。这时他猛然想起自己是在乌鸦山上一间被遗弃的房子里，是身上长着一根白色羽毛的迟钝儿前一天晚上把他驮到这里来的。

男孩经过前一天的旅行感到浑身酸疼，他觉得静静地躺着等待迟钝儿来接自己十分惬意，他答应过这么做的。

用格子布做成的帐子挂在床前。他拉开帐子去打量房子，看样子住在这里的人肯定还打算回来。咖啡壶和煮粥的锅还放在炉子上，炉子里还有一些木柴；铁钩子和烤面包用的铁铲立在墙角里；纺车放在长凳子上；窗户上方的架子上放着一些麻线和亚麻、两个线穗子、一支蜡烛和一盒火柴。

在房顶上男孩发现了一样东西，他立即站了起来。竟然有两大块干面包挂在铁钩上。虽然这面包看上去已经陈腐发霉了，但毕竟还是面包。他用烤面包的铲子敲了一下，一块面包掉了下来。他吃了一些，剩下的装进了口袋。这面包是格外的好吃。

他又在屋里环视了一遍，想找找是否还有什么有用的东西可以带走。"既然这里没人看管，我不妨需要什么就拿什么。"他想。但绝大多数的东西又大又重，他所能拿动的也许只是几根火柴而已。

他爬上桌子，借助帐子使劲一荡，便上了窗子上面的木架。正当他站在那里往口袋里装火柴的时候，身上长着根白色羽毛的乌鸦从窗户飞了进来。"哎，我终于来这里了，"迟钝儿一边说着一边落在桌子上，"我没能早点到这里，是因为今天我们乌鸦选举了一位新的头领来代替黑旋风。"

"那你们选了谁呢？"男孩问道。

"哦，我们选了一只不允许进行抢劫和从事非正义活动的乌鸦。我们选了过去被称为迟钝儿的白羽嘎尔木。"他一边回答，一边挺直身子使自己看上去非常像个君主的样子。"这是一个很好的选择！"尼尔斯说，并向他表示祝贺。"你也许应该祝我运气好！"嘎尔木说道，接着他向男孩讲述了过去曾与黑旋风和随风飘相处的日子。

正说着，男孩听到窗外有一个他觉得很耳熟的声音。"他是在这里吗？"狐狸问道。"是的，他就藏在里面。"一只乌鸦答道。"小心，大拇指！"嘎尔木喊道，"随风飘和想吃掉你的狐狸正站在窗外。"他还没有来得及往下说，狐狸斯密尔已经猛撞起窗子来。腐朽的旧窗框被撞断了。斯密尔随即就站在窗下的桌子上，白羽嘎尔木还没有来得及飞走，一眨眼就被他咬死了。接着他跳到地上，到处寻找男孩。男孩本想藏到一大团线后面，可是斯密尔已经发现了他，正弓着身子要扑上来。由于房子又小又低，男孩意识到狐狸轻而易举就能抓住他。但是此时此刻，男孩并不是没有自卫的武器。他迅速划着一根火柴，引燃那个线团，线团烧着以后，他就把它朝狐狸斯密尔的身上扔去。狐狸被火包围，惊恐万分。他再也顾不上男孩，疯狂地冲出了小屋。

然而，男孩虽然避免了一场灾难，却陷入了一场更大的灾难中。他扔向斯密尔的线团上冒出的火焰蔓延到了帐子上。他跳到地上，想把火扑灭，但火已经熊熊燃烧了起来。整个小屋霎时布满了浓烟，站在窗外的狐狸斯密尔开始明白屋内的情景。

"好啊，大拇指，"他喊道，"现在你选择哪条路呢，是在里边被活活烧死，还是出来到我这儿？当然，我更喜欢美美地把你吃掉。不过不管你怎么死，我都会感到高兴的。"

男孩不得不认为狐狸说得有理，因为火势正在迅速蔓延。整个床都在燃烧，浓烟也从地板上冒出来。男孩跳到炉子上正准备打开烤炉的火门，就在这时他听见有人将钥匙插进锁眼儿并慢慢转动起来。"肯定是有人来了。"他想。在这可怕的困境中他不再感到害怕而只是高兴。房门被打开时，他早已站在了门槛上。他面前站着两个小孩子。他没有时间去观察这两个孩子看见屋子着火时是什么表情，只是赶紧从他们身边冲到屋外。

他不敢跑远。他当然知道狐狸斯密尔就在附近潜伏着等候他，并且他也知道他必须待在这两个孩子的附近。他转身想去看看这两个孩子究竟是什么样的，但是看了还不到一秒钟，就朝他们跑去并且喊道："喂，你好，放鹅姑娘奥萨！喂，你好，小马茨！"

但是，当这两个小孩看见这么一个小家伙伸着双手向他们跑过来时，他们抱在一起，倒退了几步，吓得要死。

当男孩觉察到他们的恐惧时，他猛然醒悟过来，想起了自己已经变小了。当时他认为再也没有比让这两个小孩看到他被施了魔法更糟糕的事情了。不再是人的羞辱和悲痛压倒了他。他扭头就跑，虽然自己也不知道要跑到哪里去。

但是当他跑到那片荒原上时，等待他的却是令人高兴的相遇。因为他在石楠灌木丛中看到了一个白色的东西。白雄鹅在灰雁丹芬的陪伴下正朝着他走来。当雄鹅看见男孩这么快地奔跑时，他以为有可怕的敌人在后面追赶着，于是便急忙把男孩放在自己的背上，驮着他飞走了。

原来大雁们一发现大拇指失踪了，就向森林里所有的小动物打听他的下落。他们很快就打听到，是斯摩兰的一群乌鸦把他带走了。但是乌鸦们早已不见了踪影，并且谁也说不清他们往哪个方向飞走了。为了尽快找到男孩，阿卡命令大雁们两个一组，兵分数路，到不同方向去寻找。不过约定好，不管是否找到，两天之后都要到斯摩兰西北部一个很高的山峰会合。那山峰就像是一个陡峭而断裂的塔，名叫塔山。

白雄鹅选择了丹芬做伴，他们怀着对大拇指的极度焦急的心情到处飞行。在飞行中，他们听到站在树梢上的一只鸫鸟叫骂道，有一个自称被乌鸦劫持的人取笑过他。他们向鸫鸟打听，鸫鸟把那个自称被乌鸦劫持的人的去向告诉了他们。后来他们又先后遇到了一只斑鸠、一只椋鸟和一只野鸭，他们都抱怨说有一个坏蛋打扰了他们唱歌，那个家伙自称是被乌鸦抓走的人、被乌鸦抢走的人和被乌鸦偷走的人。就这样他们一直追踪大拇指到索尼尔博地区的荒原上。

雄鹅和丹芬找到大拇指，就赶紧向北飞，好及时赶到塔山。他们看见一座山壁陡峭、山顶突兀断裂的高山，就知道了那是塔山。山顶上站着阿卡，还有埃克希、卡克希、考尔美、奈尔雅、维斯、库斯和六只小雁，在等候着他们。当他们看到雄鹅和丹芬找到了大拇指时，立即爆发出一片欢呼声、鸣叫声、拍翅声和喊叫声，那欢乐的场面真是令人难以描述。

大 鸟 湖

野 鸭 雅 洛

维特恩湖的东岸耸立着奥姆山，奥姆山东边是达戈沼泽地，沼泽地的东边则是塔肯湖，环绕着塔肯湖的就是辽阔平坦的东耶特兰大平原。

塔肯湖面积很大，想必在古代更大。但是，人们觉得它占去了太多肥沃的土地，因此设法将水抽干，以便在湖底种庄稼。他们本来打算把整个湖排干，但是没有成功，湖水至今仍覆盖着大片土地。然而经过排水之后，湖水变得很浅了，几乎没有一个地方水深超过两米。现在湖岸变得潮湿泥泞，远处湖中一个个淤泥小岛露出了水面。

芦苇在这里茁壮地生长，长得比人还高，茂密得连小船都难以穿行。它环绕着整个湖形成了一道绿色屏障，只有割掉芦苇的几个地方能够出入湖面。

芦苇把人们挡在了塔肯湖之外，为其他许多生物提供了安全的栖息地。芦苇丛中的小水塘、小水沟星罗棋布；碧绿而平静的水中，浮萍和眼子菜在那里繁殖生长；蚊虫、小鱼和蠕虫也在那里大量孵化；沿岸的水塘和水沟周围到处是隐蔽的地方，水鸟们可以在那里产蛋和哺育雏鸟，而不会受到敌人的袭扰，也不用为食物发愁。

在塔肯湖的芦苇丛中生活着不计其数的鸟。而且随着大家知道那里是栖身的好地方，汇聚于此的鸟在逐年增加。最先定居在那里的是野鸭，至今仍有上千只。但是他们不再拥有整个湖泊，而是不得不与天鹅、鹛鹏(pì tī)①、蹼鸡、白嘴潜鸟、翘鼻麻鸭等其他鸟类共有。

塔肯湖无疑是全国最大最好的鸟湖，鸟类也为拥有这样一个栖身的好地方而庆幸。但是不知道他们还能对芦苇丛和泥泞湖岸控制多久，因为人们依然没有忘记这片湖占据着大片肥沃的良田，并且不时地有人提出排干湖水的方案。一旦这些方案付诸实施，成

---

① 鹛鹏：鸟，外形略像鸭，翅膀短，不善飞，捕食小鱼、昆虫等。

千上万的水鸟就要被迫迁徙。

在尼尔斯随着大雁们周游全国的时候，塔肯湖上住着一只名叫雅洛的野鸭。这是一只小鸭，出生后只过了一个夏天、一个秋天和一个冬天。现在是他度过的第一个春天。他刚从北非回来，但是他来得太早了，湖面上仍然结着冰。

一天晚上，他和另外几只小鸭在湖面上互相追逐着，尽情玩耍。一个猎人向他们开了枪，结果雅洛的胸部受了伤。他以为自己必死无疑，但是为了不让开枪的人抓到他，他还是一个劲儿地向前飞。他没有想自己是在朝什么方向飞，只是拼命地往远处飞。当他疲惫不堪再也飞不动时，已经飞离了塔肯湖上空。他飞进内陆一小段距离后，就精疲力竭地落在了湖畔的一个大庄园门前。

过了一会儿，一个年轻的长工正好经过这里。他看见了雅洛，便走过去把他捧了起来，但是一心想平静地死去的雅洛为了使长工放掉他，便使出最后的力气去咬他的手指。

雅洛没有挣脱掉，但是他的反抗也有好处，那就是长工发现他还活着。他小心翼翼地把他捧到屋里让慈眉善目的年轻女主人看。她马上从长工手中接过雅洛，抚摸着他的背部并擦干了顺着颈羽流出的血。她非常仔细地观察了一番，她看到这只野鸭非常漂亮：墨绿发亮的脑袋、白色的颈环、赤褐色的脊背和蓝色的翼镜，她可能觉得让这么美丽的野鸭死掉太可惜了，所以立刻收拾好一个篮子，把他放了进去。

雅洛一直扑扇着翅膀，试图挣脱掉。但是当他发现这些人并不想杀死自己时，也就安心地待在篮子里了。这时他显然由于疼痛和失血过多而感到精疲力竭。女主人提着篮子穿过屋子，准备放在炉子旁边的角落里，还没有等她把篮子放下，雅洛已经睡着了。

过了一会儿，雅洛被轻轻地推醒了。他睁开眼睛一看，吓得差点儿失去了知觉。这回可真要完了！因为篮子边站着一个比人和猛禽更危险的家伙，那不是别人，正是长毛狗凯萨尔，他正好奇地闻着自己。

去年夏天，当时雅洛还是一只黄毛小鸭，每次听到有人发出警报说："凯萨尔来啦！凯萨尔来啦！"他就会惊恐万分。每当看见那只身上有褐色和白色斑点的狗龇牙咧嘴地钻进芦苇丛时，他就觉得死亡到眼前了。他一直希望千万不要撞上凯萨尔。

但是不幸的是，他现在肯定就落到了凯萨尔住的院子里，因为凯萨尔就站在面前。"你是谁？"他吼道，"你是怎么到这幢房子里来的？你不是住在芦苇丛里的吗？"

　　雅洛非常艰难地鼓起勇气回答道："凯萨尔，你不要因为我到这个家里来而生气！"他恳求道，"这不是我的错。我被枪弹打伤了，是这里的女主人亲自把我放进这个篮子里的。"

　　"哦！原来是这家里的人把你放在这儿的，"凯萨尔说，"他们显然是想医治你的伤了。虽然按我的想法，他们既然抓到了你，我认为他们把你吃掉更明智。不过不管怎么说，你在这里是很安全的，你用不着这么害怕，现在我们不是在塔肯湖上。"

　　说完凯萨尔便到熊熊燃烧的炉火前四肢舒展着睡觉去了。雅洛知道可怕的危险过去了，他马上觉得极度疲倦，于是又睡着了。

　　当雅洛再次醒来时，他发现面前放了一盘谷粒和一碟水。他病得还很厉害，但是毕竟觉得饿了，于是就开始吃了起来。女主人看到他吃东西了，便走过去抚摸他，看上去很高兴。吃完后雅洛又睡着了。一连好几天，他除了吃吃睡睡以外，其他什么也不干。

　　一个晴朗的早晨，雅洛感觉好多了，便从篮子里爬出来，在地板上来回走动。但是他没有走多远就摔倒在地板上，躺在那里动不了。凯萨尔走了过来，张开大嘴把他叼了起来。雅洛当然以为，这条狗是要咬死自己；可是凯萨尔并没有伤害他，而是把他送回了篮子。正因为如此，雅洛对凯萨尔产生了一种信任感，当他第二次在屋里走动时就走到狗的跟前，在狗身边躺了下来。从此，凯萨尔和他成了好朋友，每天雅洛总要在凯萨尔的前爪间睡上几个小时。

　　但是雅洛对女主人的好感远远胜过他对凯萨尔的好感。他对女主人一点儿也不害怕。当她来喂食时，他总是用脑袋在她手上蹭来蹭去。每次她从屋里走出去时，他就伤感地唉声叹气；而当她回到屋里时，他就用自己的语言欢呼着表示对她的欢迎。

　　雅洛完全忘了他以前对狗和人是多么害怕。他现在觉得他们是那么和气善良，他喜欢他们。他希望自己早日康复，这样就能飞回塔肯湖去告诉野鸭们，他们的敌人并不危险，他们用不着害怕。他发现，人类和凯萨尔都有一双看后让人舒畅的平和的眼睛。

　　屋子里唯一让雅洛连看都不愿意看一眼的就是家猫克劳维娜。她也没有伤害过他,但是他对她就是不信任。另外,她经常跟他争吵就是因为他喜欢人类。"你以为他们保护你是因为他们喜欢你吗?"克劳维娜说,"你等着瞧吧,等把你养肥了,他们就会把你的脑袋拧下来。我了解他们,我太了解他们了。"

雅洛和其他鸟一样,有一颗脆弱而又充满仁爱的心,当他听到这些话时心里说不出来有多难过。他想象不出他的女主人会把他的头拧掉,他也不相信女主人的儿子会这样做,那个小男孩在他的篮子旁一坐就是几个小时,跟他咿咿呀呀说着话。他似乎觉得,他们母子俩就像他爱他们那样爱着他。

一天,雅洛和凯萨尔躺在火炉前他们经常躺的地方,克劳维娜坐在炉边又开始取笑野鸭了。

"我想知道,雅洛,当塔肯湖的水抽干改成粮田后,明年你们野鸭怎么办呢?"克劳维娜说。"你说什么,克劳维娜?"雅洛叫着跳了起来,惊慌不已。"我总是忘记,雅洛,你跟凯萨尔和我不一样,听不懂人类的语言。"猫回答说,"要不然,你肯定能听见昨天有几个男人在这里说,要把塔肯湖的水全部抽干,明年湖底就会像屋里的地板一样干燥了。我想知道,到那时你们野鸭们去哪里安身。"雅洛听了猫的这番话气得像蛇一样嘶嘶地叫起来。

"你坏透了!"他冲着克劳维娜尖叫道,"你只是想煽动我憎恨人类。我相信他们不会做那种事的。他们知道塔肯湖是野鸭们的生息之地。他们为什么要使那么多鸟无家可归和遭受不幸呢?你肯定是编出这些话来吓唬我。我真希望老鹰高尔果把你撕成碎片!我希望女主人把你的胡须剪掉!"

但是雅洛的大喊大叫并没有让克劳维娜闭上嘴巴。"这么说,你认为我是在撒谎啦,"她说,"那么你问问凯萨尔吧!他昨天晚上也在屋里。凯萨尔从来不撒谎。"

"凯萨尔,"雅洛说,"你比克劳维娜更能听懂人类的话语,你说,她一定听错了!想想,要是人类把塔肯湖的水抽干,把湖底变成粮田,会带来什么样的后果呀!到那时,大野鸭不再有眼子菜或浮萍可以吃了,小鸭子也没有小鱼、蠕虫或蚊虫吃了。到那时,供小鸭子藏身直到他们会飞行的芦苇丛也没有了。所有的鸭子将被迫从这里迁移他乡去寻找新居。但是他们到哪儿去寻找像塔肯湖这样完美的栖息地呢?凯萨尔,你说呀,克劳维娜一定听错了!"

要是观察一下凯萨尔在这段谈话过程中的表现,就会觉得奇怪。他刚才一直很清醒,但是现在,当雅洛转过身跟他讲话时,他却打起哈欠,长鼻子放在前爪子上,一眨眼工夫就呼呼睡着了。

克劳维娜看着凯萨尔会意地笑了。"我觉得凯萨尔不想回答你的问题。"她对雅洛说，"他和其他所有的狗一样，是决不会承认人类会做出任何错事的。但是不管怎么说，你可以相信我的话。我还要告诉你他们现在想把湖水抽干的原因。假如你们野鸭们仍然掌控着塔肯湖，他们是不愿意把湖水抽干的，因为那样他们还可以从你们那里得到些好处。可是现在，不能食用的鹏鹞、蹼鸡和其他鸟类却几乎占据了所有的芦苇丛，因此人们认为，没有必要再为这些鸟保留这个湖了。"

雅洛不想回答克劳维娜的问题，而是抬起头对着凯萨尔的耳朵喊道："凯萨尔！你是知道的，在塔肯湖上仍然还有很多很多的野鸭，他们多得飞起来就像云彩一样能遮天蔽日。你说，人类要使所有这些鸭子无家可归的说法不是真的！"

这时凯萨尔猛然冲着克劳维娜跳了起来。克劳维娜不得不跳上一个架子来躲避袭击。

"我要教训教训你，让你知道，在我想睡觉时要保持安静。"凯萨尔吼叫道，"当然，我知道有人在议论要在今年把湖水抽干。但是这件事以前也讨论过好多次，都不了了之。不管怎么说，我是不赞成把湖水抽干的，因为，塔肯湖干枯了，到哪里去打猎呢？你真是头蠢驴，竟然会为这样的事情幸灾乐祸。塔肯湖上没有鸟，你和我拿什么来取乐呢？"

野鸭游子①

四月十七日　星期日

现在，雅洛已经康复，能够在屋子里飞来飞去了。女主人每天都抚摸他很多次，她儿子也跑到院子里为他采集来刚长出的嫩草叶。每当女主人抚摸他时，雅洛就想，尽管他现在已经很强健，随时都可以飞回塔肯湖上，他却不愿意离开这里的人们，一辈子留在他们身边他也不反对。

但是，一天一大早，女主人在雅洛的身上套了一个笼头或索套之类的东西，使他的翅膀不能飞行，然后把他交给了那位在院子里发现他的长工。长工把他夹在腋窝下就带着他到塔肯湖上去了。

---

① 游子：用捉到的鸟做诱饵把同类的鸟引来，这种起引诱作用的鸟叫游子。

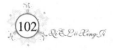

雅洛养病期间，湖面上的冰已经融化了。干枯的秋叶还残留在沿岸和小岛上，然而各种水草已经开始在深水中扎根了；绿莹莹的草茎也已经露出水面。现在差不多所有的候鸟都已经回来了，麻鳽从芦苇里伸出了弯嘴，鹏鹈带着新长出来的颈环到处游逛，沙锥鸟正在搜集草秸筑巢。

长工跳进一只小船，把雅洛放在舱底，就开始往湖里撑船。这时已经习惯于对人类往好里想的雅洛，对随同来的凯萨尔说，他非常感激长工把他带到湖上来。不过长工用不着把他拴得那么紧，因为他没有打算要飞走。对此，凯萨尔只字不答。那天早晨他紧紧地闭着嘴巴没有说话。

唯一使雅洛感到有点儿奇怪的是，长工随身带着猎枪。他怎么也不相信农庄上这些善良的人竟然要开枪打鸟。再说，凯萨尔也曾告诉过他，这个季节人们是不打猎的。"现在是禁猎期，"他曾说，"不过这当然与我无关。"

长工把船撑到一个四周环绕着芦苇的泥泞小岛。他跳下船，捡些陈芦苇堆在一起，然后就在芦苇堆后面趴了下来。雅洛翅膀上绑着绳子，并被一根长长的绳子拴在船上，但是他可以在小岛上来回走动。

突然，雅洛看见了几只以前曾和他在湖上戏水玩耍的小鸭。他们离他还很远，但是雅洛向他们大声呼叫了几声。他们做了回答，接着一大群美丽的野鸭向他飞了过来。还没有等他们飞到身边，雅洛就开始向他们讲述起自己被救的神奇经过以及人类是如何善良。就在这时，他的身后传来了几声枪响。三只小鸭栽进芦苇丛中死了。凯萨尔蹿出去，把他们叼了回来。

这时雅洛明白了，原来那些人救他只是为了利用他做游子。并且他们也成功了，三只野鸭因为他而丧失了性命。他觉得自己应当含羞而死。他甚至觉得他的朋友凯萨尔也在不屑地看着他。他们回到家后，他不敢躺在狗的身边睡觉了。

第二天早晨，雅洛又被带到了浅滩。这次他又看见了一些野鸭。但是当他发现他们向他飞来时，他朝他们喊道："飞走！飞走！小心！朝别的方向飞！有一个猎手正藏在芦苇堆后面。我只是一只游子！"他果然成功地制止住他们走进射程之内。

雅洛一直忙于警戒，连尝尝草叶滋味的工夫都没有。只要一发现有鸟朝他飞来，他便立即发出警告。他甚至也向鹏鹈发出警告，尽管他们把野鸭挤出了最好的藏身地，他因此而憎恨他们。但是他不希望任何鸟类因为他而遭遇不幸。由于雅洛的警戒，长工不得不没有放一枪就回家了。

尽管如此，凯萨尔却不像前一天那样不高兴。到了晚上，他又把雅洛衔到炉子旁边，让他睡在自己的前爪之间。

然而，雅洛在这间屋子里再也不感到心满意足了，而是感到深深的悲伤。一想到人类从来没有真心爱过他，他就心如刀绞。当女主人或那个小男孩再过来抚摸他时，他就把头伸进翅膀，假装睡着了。

几天来，雅洛一直苦恼地充当着警卫，全塔肯湖上的鸟都认识他了。后来，有一天早晨，正当他像平时那样喊叫着"当心啊，鸟儿们！不要靠近我！我只是一只野鸭游子"的时候，一个鹏鹧鸟巢朝他所在的浅滩漂了过来。这也没有什么奇怪的，那只不过是去年的一个旧巢，因为鹏鹧的巢筑得就像船只一样在水上漂动，所以他们的巢漂到湖上也是经常发生的事情。雅洛还是站在那里目不转睛地盯着那个鸟巢，因为它径直朝他所在的小岛漂过来，就好像是有人在掌舵一样。

当鸟巢靠得更近时，他看见一个他所见过的最小的小人儿坐在鸟窝里，用两根小棍棒划着漂过来。那个小人儿向他喊道："尽量靠近水边，雅洛，作好飞翔准备。你很快就会获得自由了。"

转眼之间，那个鹏鹧鸟巢靠岸了，但是那个小船工没有下来，而是缩着身子坐在巢里的树枝和草秆中间。雅洛也站在那里几乎一动不动，他由于担心来救自己的人被发现而吓得目瞪口呆了。

接着一群大雁朝他们飞了过来。雅洛一下子清醒了过来，大声尖叫着向他们发出警告，但是他们没有理会，在浅滩上空来回飞了好几次。他们飞得很高，一直保持在射程之外。但是长工却禁不住诱惑，对他们开了枪。枪声刚一响，小人儿便飞快地跑上岸来，从刀鞘中抽出一把小刀，两下子就割断了绑在雅洛身上的绳索。"赶快飞走，雅洛，在他重新装弹之前！"他一边喊叫着一边迅速跑回鹏鹧鸟巢，撑篙离岸。

猎人只顾盯着那群大雁，所以没有发现雅洛已被放走；但是凯萨尔却知道发生了什么事情。雅洛刚要振翅起飞，他就蹿上去咬住了他的脖子。

雅洛惨叫着。为雅洛松绑的小人儿镇静地对凯萨尔说："要是你真的像你外表上看起来那样体面的话，你肯定不愿意强迫一只好鸟坐在这里当游子，诱使其他鸟类遭殃。"

凯萨尔听了这些话，上唇一动狰狞地笑了笑，不过还是马上放开了雅洛。"飞走吧，雅洛！"他说，"你太善良了，不适合当游子。我也不是为了让你当游子才想把你留下来的，而是因为没有了你家里就会寂寞。"

排　湖　水

四月二十日　星期三

　　屋子里没有了雅洛确实显得很寂寞。狗和猫因为没有了同他们争论的对象而觉得时间很漫长。女主人怀念着，每当自己进屋时就听到他发出欢迎自己的欢快叫声。但是最想念雅洛的是那个小男孩佩尔·奥拉。他只有三岁，是个独生子，他长这么大还没有一个像雅洛这样的玩伴。当他得知雅洛已经回到了塔肯湖，回到了野鸭群中时，他不甘心，总是想着怎么样让他回来。

　　雅洛躺在篮子里养伤期间，佩尔·奥拉曾跟他说过好多话，当时他很肯定野鸭听懂了他的话。他恳求母亲把他带到湖上去，也许能找到雅洛，说服他回到他们中间来。他母亲没有答理他，但是小家伙并没有因此而放弃他的计划。

　　雅洛失踪的第二天，佩尔·奥拉在院子里跑来跑去。他跟往常一样一个人在那里玩耍，当时凯萨尔就趴在台阶上，当母亲让小男孩到院子里玩的时候曾对狗说："照看好佩尔·奥拉，凯萨尔！"

　　这要是在以前，凯萨尔肯定会服从命令，把小男孩照看得很好，而不会出任何乱子。可是凯萨尔这几天也不对劲。他知道，居住在塔肯湖周围的农民最近经常召开会议，讨论将湖水抽干的事情，并且知道这件事基本上定了下来。到那时野鸭们就必须迁移，凯萨尔就再也不能这么风风光光地狩猎了。这个不幸的想法总是萦绕在他的脑海里，因而忘记了看护佩尔·奥拉。

　　小家伙一个人在院子里刚玩了一会儿，就意识到这正是到塔肯湖边同雅洛谈话的好时机。他打开大门，沿着岸边那条狭窄的小路向湖边走去。从屋里还能看见他时，他走得很慢，但是后来他就加快了脚步。他非常担心母亲或其他人会喊住他，他就去不成了。他并不想调皮捣蛋，而只是想去说服雅洛回家来，但是他觉得家里的人是不会同意他这么做的。

　　佩尔·奥拉来到湖边，一遍又一遍地呼唤着雅洛。然后他站在那里等了很久，雅洛始终没有出现。他看见的好几只鸟外貌看上去都像那只野鸭，但是他们看都不看他一眼就飞了过去。他这才知道他们当中没有一个是雅洛。

　　雅洛没有来到他的跟前，小男孩就想，到湖上去可能会更容易找到他。岸边停靠着几只很好的船，不过都用绳子拴着。唯一没有拴着的是一只漏水的破船，它这么破烂不堪也就没有人想起来使用了。可是，佩尔·奥拉爬了上去，根本不顾船底已经渗满了水。

他没有力量去划动双桨，只是坐在里面摇晃起来。当然，成年人是不可能用这种方法将船划到湖里去的；但是当潮水很高、危机四伏的时候，小孩子却有令人惊奇的本领到达湖中间去。不久，佩尔·奥拉就在湖面上漂来漂去，呼唤着雅洛。

那只破船就这么被摇晃着到了湖心，而裂缝也越来越宽了，水直往里灌。可是佩尔·奥拉对此一点儿也不在意。他坐在前面的小板凳上，冲着他看见的每一只鸟呼唤着，他不知道为什么雅洛不露面。

雅洛终于看见了佩尔·奥拉。当他听见有人在呼叫他在人群中使用的名字时，他便明白是那个小男孩到塔肯湖上来找他了。当雅洛发现竟然还有一个人真心爱着自己时，心里说不出有多高兴。他像一支箭一样飞向佩尔·奥拉，卧在他的身边，任凭他抚摸。他们俩都为再次见面而感到兴奋。但是雅洛忽然发现了小船的状况：它的一半已经灌满了

水，随时都会下沉。雅洛试图告诉佩尔·奥拉，他既不会飞也不会游泳，必须立刻想办法上岸；但是佩尔·奥拉听不懂他的话。于是雅洛二话没说，立即飞去寻求援助。

过了不多一会儿，雅洛回来了，背上还驮着一个比佩尔·奥拉小得多的小人儿。要不是那个小人儿又会说又能动，小男孩准以为那是一个玩具娃娃。小人儿立即命令佩尔·奥拉拿起放在小船底部的一个细长的杆子，尽力划到附近的芦苇岛上。佩尔·奥拉服从了他的命令，于是和那个小人儿一起驾驶着小船，他们使劲划了几下，就划到了一个芦苇环绕着的小岛。那个小人儿又告诉佩尔·奥拉必须立刻上岸。佩尔·奥拉刚一上岸，小船就灌满了水，沉向湖底。

佩尔·奥拉看到这样的情景，觉得父亲和母亲一定会很生他的气。要不是当时他看到别的事情转移了注意力，他早就会哭了起来——他看见了一群大灰鸟突然降落在小岛

上。小人儿把他带到大灰鸟跟前，告诉他那些大鸟叫什么名字以及他们说了些什么。这是多么有趣的事呀，于是佩尔·奥拉便忘记了其他的一切事情。

与此同时，农庄上的人们发现佩尔·奥拉失踪了，便开始到处寻找。他们找遍了屋里屋外，查看了水井，搜遍了地下室。然后他们到大路和小路上去寻找，到邻近的农庄去打听，看看他是不是迷了路到那里去了，他们也到塔肯湖边上去寻找过。但是，不管他们找到哪里，都没有发现他的踪影。

那条狗凯萨尔十分清楚农庄上的人们正在寻找佩尔·奥拉，但是他一点儿都没有出力去把他们领向正确的方向；相反，他一动不动地躺在那里，好像这件事跟他毫不相干一样。

后来，有人在停靠船只的地方发现了佩尔·奥拉的脚印，接着又发现那只漏水的破船没有在岸边。这时他们便开始明白发生了什么事。

农庄的男主人和长工们立即推出船只，划着去寻找小男孩。他们在塔肯湖上到处寻找，一直找到夜里很晚，但是连他的影子也没有找到。他们不得不相信，那只破船沉下去了，小家伙也葬身于湖底。

整个晚上，佩尔·奥拉的母亲一直在湖边找来找去。其他人都认为佩尔·奥拉已经淹死了，但她怎么也不相信。她不停地寻找着。她找遍了芦苇丛和灯芯草丛，在泥泞的湖岸上跑来跑去，根本不考虑她的脚陷得有多深，身上有多湿。她说不出有多绝望，心如刀绞。她没有哭泣，只是搓着双手，用悲痛欲绝的声音呼唤着她的儿子。

她听见天鹅、野鸭和麻鹬的尖叫声。她觉得他们跟在自己身后，也在抱怨着、恸哭着。"他们这么哀怨，也一定是遇到了什么麻烦。"她想。但是很快她又想到，她所听到的抱怨声只不过是那些鸟随便发出来的，而且鸟类肯定不会有什么烦恼的。

奇怪的是，太阳落山后他们还没有安静下来。她听见生活在塔肯湖上的无数鸟群发出一阵又一阵的哀鸣。其中几只鸟，无论她走到哪里就跟到哪里，另一些鸟则轻捷地扇动着翅膀从她身边疾驰而过。整个天空回荡着抱怨和悲哀的鸣叫。

但是，她自己所遭受的痛苦却使她的心胸豁然开朗。她觉得，自己不再像往常那样，与所有其他生物相隔那么遥远。此时此刻，她比以前任何时候都更能理解鸟类的处境。他们和她一样，总是为家园和孩子操心担忧。原来，他们和她之间的差别不像她以前所想象的那么大。

这时她突然想到排水的决定几乎已成定局，数千只天鹅、野鸭和鹧鸪将要失去他们在塔肯湖上的家园。"这对他们来说会是一件非常痛苦的事情，"她想，"他们到什么地方去扶养他们的孩子呢？"

她停下来思考着：将一个湖改造成耕田和草地看起来是一项很好的受欢迎的工程，但是应该选择别的湖而不能是塔肯湖，应该选择一个没有成千上万只动物安家的湖泊。

她想到排放湖水的事情明天就要确定下来，于是猜想是不是由于这件事她的小儿子才失踪了，并且就在今天。

这是不是就是上帝的旨意，在还能避免这种野蛮行为之前，也就是在今天，让悲伤降临到她的头上，从而打开她慈悲的心灵？

她急忙走回家里，把自己的想法告诉了丈夫。她讲到那个湖，讲到了那些鸟，并且说她认为佩尔·奥拉的死是上帝对他们俩的惩罚。她很快发现，丈夫同自己的看法是一样的。

他们已经拥有一个很大的庄园，但是如果排湖水的工程能够实施，湖底的一大片土地将归他们所有，这样一来他们的财产几乎将增加一倍。就是因为这个原因，他们比在湖岸拥有土地的其他庄园主更热心于这项工程。其他人担心费用问题，并担心这次排水也像上次那样遭到失败。佩尔·奥拉的父亲心里清楚，正是他自己说服其他人同意这项工程的。为了给他的儿子留下一个比他的父亲留给自己的还要大一倍的庄园，他充分发挥了自己雄辩的本领。

他站在那里思索着，就在他准备签订抽干湖水合同的当天，塔肯湖把他的儿子从他那里夺走了，这是不是上帝的安排呢？妻子用不着对他说更多的话，他便回答道："也许是上帝不愿意我们去干涉他安排好的秩序。我明天就去和其他人谈论这件事，我想我们会决定一切维持原状的。"

主人们在谈论这件事的时候，凯萨尔就趴在火炉前。他仰着头仔细地倾听着。当他觉得自己对这件事的结果有了把握的时候，便走到女主人跟前，咬住她的裙子，拉着她向门口走。

"唉，凯萨尔！"她一边说一边设法挣脱开。"你知道佩尔·奥拉在哪里吗？"她喊叫道。凯萨尔高兴地叫了起来，用身子撞着大门。她打开了门，凯萨尔一下子冲向塔肯湖。女主人十分确信他知道佩尔·奥拉的下落，便紧跟着向湖边跑去。他们还没有跑到湖边就听见湖上传来一个小孩儿的哭声。

原来，在大拇指以及鸟儿们的陪伴下，佩尔·奥拉度过了他出生以来最愉快的一天。而这时他肚子饿了，又害怕黑暗，所以就哭了起来。然而，他的父亲、母亲和凯萨尔来找他了，他又破涕为笑了。

水灾

五月一日至四日

连日来，梅拉伦湖以北地区的天气十分可怕。天空昏暗，狂风怒号，大雨不断。杉树林里的积雪开始融化，春季小溪流动起来，小溪的水注入大河，河水奔腾进入梅拉伦湖。

湖水越涨越高，格里普斯霍尔姆周围潮湿的草地被水淹没。岛上与陆地失去了联系，中间隔着的水沟变成了海峡。在城市里，人们准备在大街上行船。整个的木柴垛、大批的原木和木板、无数盆盆罐罐都在水上漂动，人们撑着船四处打捞。因湖水上涨而陷入不安的不只是人，在岸上树丛里产了卵的野鸭，窝里有幼仔的田鼠也都感到无比担心。

在这段困难的日子里，狐狸斯密尔有一天穿过梅拉伦湖边的一个桦树林偷偷过来了，他心里想着大雁和大拇指，不知道在失去他们的踪迹后怎样才能找到他们。

正当他懊恼的时候，他忽然看见树枝上落着一只信鸽。他对信鸽说："你好！也许你能告诉我，阿卡和她的雁群现在在哪里？"

"我知道他们的落脚处，可我不会告诉一只狡猾的狐狸。"信鸽说。

"随便你！"斯密尔说，"只要你捎个话就行。你也看见了，洪水成灾，住在叶尔斯塔湾的天鹅的窝和卵马上就要倒霉了。天鹅王听说和大雁在一起的大拇指能拯救一切，派我出来问问阿卡，是否愿意把大拇指带到叶尔斯塔湾去。"

"我当然可以转告。"信鸽说，"可是大拇指能做什么呢？"

"这只有他才知道。"斯密尔说。

"奇怪的是天鹅王竟会让一只狐狸来送信，这事很可疑。"信鸽说。

"不错，在平时我们是仇敌。可眼下大难临头，我们只能互相帮助。不过没有必要告诉阿卡是一只狐狸告诉你这件事，她知道后一定会多心。"

天　　鹅

阿卡一听说天鹅需要她帮助，就立即赶往叶尔斯塔湾，那里曾经是整个梅拉伦地区水鸟最安全的栖息地。她在夜晚带着雁群赶到那里，立刻看到那里遭受了重灾。天鹅筑起的窝被风刮跑，有的已经残缺不全，有的被风吹翻，原来在里面的卵沉在湖底闪闪发亮。

所有的天鹅此时正聚集在最适合避风的东岸。尽管在水灾中遭了难，他们仍然那样傲慢，没有流露出任何悲伤。他们之中没有任何人想到要请外人帮忙。他们对斯密尔把大雁叫来的事一无所知。

那里有几百只天鹅，他们按自己的规矩排列：年轻无知的在边上，年老聪明的靠里边，天鹅王和王后在最里面。

大雁们落在西岸，但是当阿卡看见天鹅在东岸时，便领着队伍立即向他们游去。她自己也对天鹅把她请来感到非常奇怪，但是她把这件事当成是一种荣誉，她愿意毫不迟疑地帮助天鹅。

当阿卡接近天鹅时，她对她的伙伴们说："赶快游过来排好，不要看天鹅！不论他们说什么，你们都不要做声。"

阿卡已经不是第一次与那对德高望重的天鹅夫妇打交道，他们对见多识广的阿卡也总是以礼相待。但是从高大美丽的天鹅群中游过的感觉，对阿卡而言，并不总是愉快的，因为常有些天鹅会说类似灰家伙、穷光蛋之类的话。

　　这次似乎非常顺利。天鹅们默默闪到两边，大雁就从他们中间游了过去。但是正当天鹅们极力保持自己的礼貌时，他们看见了游在雁群末尾的白雄鹅。天鹅们立刻展开讨论，整齐的队伍顿时变得一团糟。

　　"那是个什么玩意儿？"一只天鹅喊，"大雁们是不是想要插上白羽毛？"

　　"他们不会认为那样做就能变成天鹅吧。"天鹅们高叫着。

　　"一定是家鹅之王来了。"有的嘲讽道。

　　"那只白雄鹅还想和我们比美，真不知害臊。"

　　"他背上驮的不是一只青蛙吗？"一个说，"他们一定以为，他打扮得像一个人，我就看不出他是一只青蛙了。"

　　天鹅们乱哄哄地竞相向前游，都想挤到前面去看看白雄鹅。

　　天鹅王注意到了吵闹声："怎么回事，我不是命令他们在客人面前要保持礼貌吗？"

　　"那边来了一只白色大雁，看上去真叫人生气。"王后说。

　　"胡说！哪有什么白色大雁？"天鹅王立刻赶过去，把所有天鹅推到一边。当他看到在水上真有一只白色大雁时，他也像其他天鹅一样生气，他愤怒地叫着，径直向雄鹅扑过去，从他身上拔下几根羽毛。"我要教训教训你，大雁！你怎么敢打扮成这个样子到天鹅群里来！"

　　"快飞，雄鹅！"阿卡喊道，因为她知道，愤怒的天鹅会把大白鹅的羽毛全都拔掉。但是雄鹅被天鹅围得死死的，根本张不开翅膀，飞不起来。

　　就在这时，一群小鸟发现大雁们陷入困境，纷纷向天鹅们飞过来。他们在天鹅耳边尖叫，用翅膀挡住天鹅的视线，"天鹅没羞，天鹅没羞！"他们叫嚷着，搞得天鹅心烦意乱。大雁们趁这个机会展翅向港湾的对岸飞去。

新来的看门狗

　　大雁们飞走之后，天鹅们不屑于追赶，这样大雁们就可以放心地站在一堆芦苇上睡觉了。

　　而尼尔斯却饿得睡不着。"我得出去找些吃的。"他毫不犹豫地跳上一块漂浮在芦苇丛中的小木板，用一根小木棍向岸边划去。他刚一上岸，就听见身边的水里扑通一响，他停住脚步，看见一只狐狸正向天鹅窝靠近。"快起来，快起来！"男孩对睡在窝里的母天鹅喊道。母天鹅醒了，但狐狸看见大拇指，转而向他跑了过来。

　　大拇指拼命向陆地上跑，但眼前既没有树可以爬，也没有洞可以藏身，怎么办？好在离湖不远的地方有几座有灯光的茅屋，男孩很自然就朝那边跑了过去。

　　眼看狐狸就要追上他了。男孩猛地一转弯，向两个人跑去。他紧靠着他们走，一直跟到他们的小屋边。那两个人始终没发现他，男孩本想跟他们一起进屋，但当他看见门前有一只长毛大狗时，他改变了主意。

"喂，看门狗！"等人一关上门，男孩就轻声说，"今晚我们可以一起抓到狐狸。"

"胡说！别拿我开心，你是个什么家伙！你要是走近我，我非教训你一顿不可！"狗咆哮着。

"我是大拇指，同大雁一起旅行的就是我。"大拇指走到狗跟前说。

"我好像听说过你。"

"现在我急需你的帮助，因为一只狐狸在后面紧紧追着我，他现在正在房子后面埋伏着。"

"真的，我也闻到狐狸的气味了。我愿意帮助你，可是我脖子上拴着铁链，这样我可捉不住狐狸。"

"我知道该怎么做，现在咱们一起到你的窝里去。"男孩说。男孩和狗钻进狗窝，躺在里面嘀咕起来。

过了一会儿，狐狸从房子后面伸出了脑袋，慢慢溜进院子里。他用鼻子闻着男孩的味道，一直找到了狗窝，在离狗窝不远的地方蹲下，寻思着如何捉住男孩。

狗突然把头伸出来，对着他叫道："滚开，否则我就抓住你！"

"我想在这里待多久就待多久，你管不着！"狐狸说。

"滚开！"狗再次威胁道，"否则今天夜里就是你最后一次在外面狩猎！"

狐狸冷笑着说："不用吓唬我，我知道你脖子上的铁链有多长。"

"我已经警告过你两次了。"狗从窝里走出来，突然纵身一跳，将狐狸扑倒在地。他们战斗了一会儿，就决出了胜负。狐狸躺在地上一动不动，狗叼着狐狸的脖子把他拖到窝边。男孩抱着拴狗的链子走过来，在狐狸脖子上绕了两圈，牢牢地把他拴住。狐狸一直被迫老实地躺着，一动不敢动。

"现在，狐狸斯密尔，你要做一只忠实的看门狗。"男孩说。

灰 雁 丹 芬

五月六日　星期五

　　小灰雁丹芬温柔、善良，所有的大雁都很喜欢她，白雄鹅更可以为她去死。丹芬一旦提出什么要求，甚至阿卡也是有求必应。

　　丹芬一到梅拉伦湖，就认出了那个地方。湖外的海上有一个大群岛，她的父母和姐妹就住在其中的一个小岛上。她请求大雁们在继续向北飞行以前，到她家里去一趟，以便让她的亲人知道她还活着。

　　"你的父母当初扔下你不管，你难道不记恨他们吗？"阿卡坦率地问。

　　"他们看我不能飞，只能把我丢下。他们不能因为我，永远留在奥兰岛啊。"丹芬是那么善良宽容。

　　为了说服大雁们去那里，丹芬对他们讲起了她在岛上的家。那是一个小石岛，从远处看，人们会以为那里除了石头什么也没有，但是到了那里以后就会发现，在峡谷里和低地上有最肥美的牧草。那里还有一位爱鸟的老渔夫，他常在鸟巢之间走来走去，当雌鸟孵卵的时候，他还为她们提供食物。正因为老渔夫善待鸟类，大批的鸟儿才迁到岛上，致使岛上非常拥挤。如果有的鸟春天回来迟了，连筑巢的地方可能都找不着。也是因为这个原因，丹芬的父母和姐妹才不得不离开她。

　　由于丹芬的一再请求，大雁们终于答应了她。但前提是，在岛上停留的时间不得超过一天。因为雁群得赶快向北飞，不能在路上花费更多的时间。

　　雁群飞往大海，无数个小石岛散落在其中。大雁们落在大海中的一个石岛上，这里居住着丹芬的父母和姐妹。

　　丹芬有两个姐姐，一个叫美翼，一个叫美翅。她们都是矫健聪明的灰雁，但是既没有丹芬那么漂亮的外表，也没有她温柔和蔼的性格。父母特别宠爱丹芬，这让她俩又嫉又恨。

当大雁们在石岛上落下时，美翼和美翅正在离岸不远的草地上觅食，她们立刻看见了这些陌生人。

　　"美翅妹妹，落在岛上的大雁是多么漂亮！"美翼说，"我从未见过长得这么好看的鸟，你看见没有，在他们中间有只白雄鹅，他看上去真像一只天鹅！"

　　美翅觉得，到岛上来的一定是尊贵的客人，但是她突然大声叫起来："美翼姐姐，你看和他们在一起的是不是丹芬？"

　　"怎么会是丹芬？我们明明把她丢下的，难道她还没饿死？"美翼仔细一看，也马上看出丹芬走在后面，她惊得目瞪口呆。

　　"更糟糕的是，她一定会告诉爸妈，是因为我们用力挤她，才使她的翅膀脱了臼，说不定爸妈会因为这个把我们赶走！"美翅惶惶不安地说。

"先别慌，丹芬是个蠢丫头，她可能没有发现当时我们是故意挤她，现在我们最好是对她回来表现得很高兴！"美翼说。

当美翼和美翅说话的时候，大雁们站在岸上，整理好羽毛，然后排成一队，向前走去。

此时，丹芬的父母也看到大雁落到石岛上，但是没有认出飞在雁群里的丹芬。"真奇怪，大雁会落在这个石岛上，"丹芬的父亲说，"他们可真是美丽的鸟，但是他们人数够多的，在这么拥挤的石岛上觅食可不容易！"

"我觉得咱们应该可以帮忙。"他的妻子温柔地说道。

阿卡走过来的时候，丹芬的父母走上前迎接。他们刚要对阿卡到岛上表示欢迎，走在队伍末尾的丹芬飞起来，落到父母面前，"爸爸，妈妈，我回来了！我是丹芬！"她兴奋地喊道。父母亲认出女儿后，更是喜出望外。

正当大雁们、雄鹅和丹芬滔滔不绝地讲述丹芬怎么得救的时候，美翼和美翅跑来了。她们装得那么高兴，让丹芬十分感动。

美翼问丹芬，想不想跟她们去看看她们的巢。丹芬高兴地跟她们去了。

"丹芬，你将来有什么打算？"她们问。

"我不想留在岛上，我要和大雁一起去北方。"丹芬说。

"太遗憾了，你要离开我们。"两个姐姐虚情假意地说。

"我很想和你们在一起，可是我答应了白雄鹅，和他在一起。"丹芬说。

两个姐姐一听，忌妒万分。妹妹的未婚夫白雄鹅比她们的未婚夫高大漂亮，这简直太不公平了。

虽然两个姐姐气得都快发疯了，但还继续对丹芬表示亲热。到了下午，美翅带丹芬去看自己的未婚夫，"他长得不如你那位漂亮，但这也保险。"

"你这是什么意思？"丹芬问。

"噢，我们从来没有见过一只白鹅和大雁在一起，也许他是个什么妖怪变的。"

"胡说，他是一只普通的家鹅！"丹芬生气地说。

"他和一个小精灵在一起，你怎么敢肯定他不是一只乌鸦变的？"

美翅一看善良的丹芬被吓住了，又继续说："想办法让他把我采集的几块草根吃下肚，如果他是妖怪变的，他就会现出原形，如果他不是，那就还是这个样子。"

男孩正坐在大雁们中间玩耍，丹芬慌张地飞来了。"大拇指，不好了！"她上气不接下气地嚷，"雄鹅快死了！"

男孩和大雁们一起赶去，只见雄鹅躺在地上，直喘粗气。"在他的喉咙下面捋一捋，捶捶他的背！"阿卡命令道。男孩照做了，大白鹅立即咳出了卡在喉咙里的一大段草根。

"这草根是有毒的！你要是咽下去几段，肯定没命了！你怎么吃这种草根？"阿卡问。

"是丹芬让我吃的。"雄鹅说。

"那是我姐姐给我的。"丹芬把整个事情叙述了一遍。

"你可要当心你的姐姐！"阿卡说，"她们对你不怀好意！"

但是丹芬不愿意把姐姐们往坏处想，过了一会儿，当美翼叫她去看自己的未婚夫时，丹芬又跟着去了。"你看，他长得不够帅，"美翼说，"但是他却英勇无比，他明天早晨要去和一只凶猛的大鸟搏斗。"

"但愿他一举成功！"丹芬说。

"可是他没有雄鹅那么大，那么强壮，我可真为他担心！要是雄鹅去迎击那只陌生的大鸟，事情就再好不过了！我真的需要你的帮助！"美翼说。

"那……好吧！"

第二天早晨，雄鹅在太阳出来以前就醒了，他站在石岛的最高处四下张望。不一会儿他就看见一只体形庞大，样子凶猛无比的老雕从远处飞了过来。老雕俯冲下来，用爪子抓住了一只海鸥，还没等他张开翅膀飞走，雄鹅就跑上去，鼓足勇气说："把他放下，再也不要到这里来了！"

"滚开！你这只傻鹅！"老雕一爪拨开冲上来的雄鹅。

男孩正和大雁们睡在一起，这时他听见丹芬在喊："大拇指，雄鹅快让一只老雕抓死了！"

"丹芬，快把我带到那里去！"男孩说。

男孩骑在丹芬背上赶到那里时，雄鹅正在流血，但仍在战斗。男孩大声喊："丹芬，快！把阿卡和大雁们叫来！"他一喊，老雕就停止了搏斗。"阿卡在这里？告诉她，我万万没有想到，会在大海上碰到她！"说完，他迅速地扇动翅膀飞走了。

　　大雁们想提前离开，正当他们为远行寻找食物时，一只潜鸭来到丹芬身边："你的姐姐们要我提醒你，在你离开这个岛之前，应该探望一下老渔夫。"

　　"对呀！"丹芬说，她和雄鹅、大拇指一起到渔夫的茅屋去。房门开着，丹芬进去了，大拇指和雄鹅站在门外。不久，他们听见阿卡发出起程的信号，他们连声喊丹芬，灰雁从里面出来，大家一起离开了石岛。

　　他们飞了很远以后，男孩发现情况不对。丹芬飞行总是又安静又轻松，这只灰雁却飞得很吃力，"阿卡，回头！"他喊，"我们找错伙伴了，跟在后面的是美翼！"

　　他刚一说完，那只灰雁生气地叫着冲向大白鹅，叼着大拇指飞跑了。

　　大雁们在她身后紧追，眼看就要追上她了。突然间，他们看见海面上升起一股很细的白烟，并且听见一声枪响。他们刚刚只顾追赶美翼，却没发现他们一直朝一只船飞了过去，船上坐着一个打鱼的人。

　　谁也没有被子弹击中，但是恰巧在船的上方，美翼张开嘴，让大拇指掉进了大海。

老雕高尔果

在 峡 谷 里

在瑞典北部拉普兰省的崇山峻岭中，有一个雕住的老巢。它由一层一层松树枝相叠而成，宽两三米，位于一块从峭壁上突出的岩石上面。

雕巢所在的峭壁下面是一条很大的峡谷，它所处的地势非常隐蔽。峡谷中间有一个圆形小湖，那里有大雁吃的大量食物，所以夏天的时候，一群大雁就在那里栖息。

一直以来，雕住在上面的悬崖上，大雁住在下面的峡谷里。每年，雕都叼走几只大雁，但他们能做到适可而止，免得大雁们从峡谷迁走。对大雁们而言，老雕的存在也不无好处，他使大雁其他的天敌不敢靠近这条峡谷。

在尼尔斯随大雁旅行的前两年，阿卡每天早晨都站在峡谷里向老雕的巢张望。雕每天在太阳升起后不久外出狩猎，阿卡等着观察他们是留在峡谷里捕猎，还是到其他地方去。

一天清晨，阿卡没等多久就看到两只雕离开悬崖，朝下面的平原飞去，她松了口气。

阿卡已经停止产卵和抚育幼鸟，在这个漫长的夏天里，她忙着从一个雁窝飞到另一个雁窝，教其他大雁孵卵和哺育小鸟，负责监视老雕、狐狸和其他威胁大雁的敌人。

到了中午，阿卡又开始监视老雕，她发现老雕并没像以前一样按时飞回来。到了下午，她又往悬崖上看，老雕们还没有回来。到了傍晚，老雕们应该到湖边洗澡，却还没有出现。阿卡对此深感奇怪。

第二天一大清早，阿卡就醒了，但她还是没有看见那两只雕。从他们筑在岩石上的巢里传来一阵悲惨的叫声。"发生什么事了，我得去看看。"阿卡立即张开翅膀，飞到雕巢的上空。她在上面没有看见两只大雕，只看见一只半光着身子的小雏雕，饿得直叫。

阿卡克制住自己恐惧和厌恶的情绪，落到雕的巢边。巢里全是血淋淋的羽毛和发白的骨头，在这些污七八糟的东西当中躺着的小雏雕张大了嘴，叫道："终于有人来了！快给我弄点儿吃的！"

　　阿卡问："你的父母呢？他们不给你准备吃的吗？"

　　"他们昨天早晨就出去了，到现在还没回来。给我留的食物早就让我吃光了。"

　　阿卡意识到，那对老雕夫妇也许被人打死了。她想，如果她让小雏雕饿死，她就会永远摆脱强

盗的威胁。可是此刻，她的良心不允许她丢下小雏雕不管。

　　阿卡张开翅膀，向峡谷里的小湖飞去。过了一会儿，她叼着一条小鱼，回到老雕窝里。

　　她把鱼放在雏雕面前，雏雕异常愤怒。"你就叫我吃这种东西吗？"他叫嚷着，把鱼推到一边，并用嘴啄阿卡。"给我搞一只雷鸟或老鼠来！听见没有？"

　　阿卡伸出头，在雏雕脖子上狠狠拧了一口。"你的父母死了，他们无法扶养你了。我找到什么你就得吃什么！如果你一定要吃雷鸟和老鼠，你就躺在这里等死吧。"

　　阿卡说完飞走了，她过了许久才回来。雏雕已经把鱼吃光了，当阿卡把另一条鱼放在他跟前时，他又低头去吃了。

　　那对老雕夫妇再也没有出现过。阿卡不得不去寻找雏雕需要的食物，她给他带回鱼和青蛙。雏雕长得又大又壮，他很快就忘记了自己的父母，以为阿卡就是他的妈妈。阿卡尽力给他以良好的教育，克制他的野性和骄傲。

　　两三周以后，阿卡发现她脱毛和不能飞的时候到了。她将整整一个月不能给雏雕送

吃的，这样他就得饿死。

"高尔果，"阿卡对雏雕说，"未来一段时间我都不能给你送吃的了。你得飞到下面的峡谷里自己觅食，现在张开翅膀飞吧！"

雏雕勇敢地走到窝边，张开翅膀飞了出去。他在空中滚动了几下，然后较好地运用了自己的翅膀，十分安全地着陆了。

那个夏天，高尔果与峡谷里的那些小雁一起度过，他们成了好伙伴。高尔果也把自己当成一只小雁，所以尽力像他们一样生活。小雁们到湖里游泳，他也跟着下了水，结果差点儿淹死。

他万分羞愧地问阿卡："为什么我不能像他们一样学会游泳呢？"

阿卡回答："你躺在悬崖上，爪子长得太弯，脚趾长得太长。但是你不要为此伤心，你会成为一只好鸟的。"

雏雕的翅膀长得更大了，可以飞了，在秋天小雁们学飞的时候，他很快成了这项运动的冠军。他的伙伴们只能在空中勉强停一会儿的时候，他几乎全天都在空中练习飞翔技巧。他至今还不知道自己不是大雁，但他也发现了许多奇怪的事情，因而不断向阿卡提问："为什么山上一有我的影子，雷鸟和老鼠就逃跑了？他们见到其他小雁时并不那么害怕呀！"

"你的翅膀长得太大了，"阿卡说，"你的翅膀吓坏了那些小东西，但不要为此伤心，你会成为一只好鸟的。"

雁群在秋季迁走的时候，高尔果也跟着。向南方飞行的鸟儿们，看见阿卡的雁群中有一只雕出现时，惊讶不已。雁群周围总会出现一群一群好奇的小鸟。

"他们为什么叫我雕？"高尔果不停地问，而且开始生气了，"他们难道看不出我是一只大雁吗？"

一天，当他们飞过一个农庄时，许多鸡仰头看着，大声喊："老雕！老雕！"然后四处逃跑。高尔果再也遏制不住自己的怒火了，因为他知道雕是野蛮的强盗。他气愤地收拢翅膀，冲到地上，抓住一只母鸡。他一边用嘴啄她一边喊："我要让你知道，我不是一只雕！"

忽然，他听到阿卡在上面喊他，便顺从地飞上天空。"你干什么去了？"阿卡叫道，"你要杀死那只可怜的母鸡吗？"飞在他们周围的鸟看见阿卡教训高尔果，而这只雕却不进行任何反抗，便爆发出一阵嘲笑和讽刺声。

雕听见他们的叫喊声，愤愤地飞向天空。他飞得很高，然后就从大家的视线中消失了。

三天之后他又返回了雁群。

"现在我知道我是谁了。"他对阿卡说，"我是一只雕，所以我不得不像一只雕那样生活。我们仍然是朋友，我不会伤害你们。"

阿卡不能容忍高尔果的改变，她一直想让他成为一只驯服的鸟，现在她失望极了。"我不会成为猛禽的朋友！"

双方都那么固执，谁也不肯让步。阿卡不允许高尔果在她身边出现，不允许任何人提起他的名字。

从此以后，高尔果彻底离开雁群，在全国四处游荡。他是一只真正的雕，勇敢凶猛，但他从来没有袭击过大雁。

被　擒

在高尔果三岁时，他被猎人抓获，卖给了斯康森的一家公园。他和另外两只雕，一起被关进一个用钢筋和钢丝做的大笼子里。他们从早到晚一动也不动，绝望地凝视着远方，美丽的浅黑色羽毛日渐蓬松，失去了光泽。

一天早晨，高尔果像往常一样呆呆地站在那儿，他听见下面有谁在喊他。"是谁在叫我？"他连眼皮都不抬一下，无精打采地问。

"高尔果，是我，和阿卡的雁群一起旅行的大拇指。"

"难道阿卡也被抓起来了？"他的声音听起来有些紧张。

"没有，阿卡和雁群肯定已经安全地到达拉普兰了，只有我被囚禁在这里。"

在男孩说话的时候，高尔果一直无神地凝视远方。

"高尔果，你饶了白雄鹅一命，我也要帮助你！"

"别打搅我，我正梦见我在高空自由飞翔。"高尔果说。

"天哪，他都忘记逃跑了。"男孩想，"他是雕，我得帮他飞回蓝天。"

深夜，当所有的雕都在熟睡的时候，男孩开始锉钢丝网。高尔果听到噪音，醒了。"你这样锉是没有用的。我是一只大鸟，你要锉断多少根钢丝我才能出去呢？你最好停下来，让我安静一会儿吧。"

"你睡吧，别管我！我今天夜里干不完，明天夜里干不完，但是我会一直干下去，直到你能飞出去为止。"男孩说。

男孩一连锉了几个晚上。一天早晨，他叫醒高尔果，"现在试试看！"

雕抬起头看了看，钢丝网上现在有一个大洞。他张开翅膀，朝那里飞了过去。他飞了几次都失败了，掉进笼子里，但是最后他终于成功地飞了出去。

高尔果张开宽大的翅膀飞上天空。大拇指满面愁容坐在那里，他多么渴望也有人来将他释放。原来他掉进海里以后，一个渔夫把他捞了起来。渔夫想把他卖给总管，把他放在玻璃柜子里展览。看守公园的好心老人拉尔斯出高价买下他，救了他。拉尔斯和男孩约定，由他负责照顾男孩。但是在得到他的允许前，男孩不能到别处去。他俩商定了一个暗号，如果他用白碗给男孩送饭，男孩就待在公园里，如果他用蓝碗送饭，男孩就可以离开了。可是拉尔斯后来离开了公园，他临走时忘记用一只蓝碗给男孩送饭，让男孩恢复自由。

这样，男孩一直遵守当初的约定，没有离开公园。他每时每刻都盼望着回到雄鹅和大雁身边去。"如果我不受诺言的约束，我完全能找到一只鸟送我到他们那里去。"

这天夜里，男孩比任何时候都渴望获得自由。"现在拉普兰一定是温暖而美丽的，"男孩想，"我多么渴望在一个晴朗的早晨，骑在雄鹅的背上，欣赏由青草和娇艳的花朵装饰起来的大地啊！"

正当尼尔斯坐在那里浮想联翩的时候，老雕径直从空中扎下来，飞到他身边。"我刚才只是想试试我的翅膀还行不行。我不会丢下你不管的，现在骑到我背上，我送你回到你的旅伴那里去！"高尔果说。

"不，不行！"男孩拒绝道，"我要信守我的诺言。"

"你在说什么蠢话！"高尔果说，"他们先是硬把你弄到这里，然后又迫使你答应留在这里！你应当明白，那样的诺言是不必信守的。"

"谢谢你，"男孩说，"你帮不了我的忙。"

"我帮不帮的了，你马上就会知道。"高尔果说着就用爪子抓起尼尔斯，冲向天空，飞向遥远的北方。

老雕飞啊飞啊，一直飞到一座很远的森林里，放开了男孩。男孩一觉得被放开，就开始拼命往回跑。雕纵身一跃，追上男孩，用一只爪子按住他。

"你还想回去吗？"

"我想去哪儿就去哪儿，你管不着！"男孩说。老雕于是用他有力的爪子紧紧抓住他，张开翅膀又向北飞。

老雕带着男孩一直飞到一处瀑布下，把男孩放在河中央的一块石头上。上面有瀑布倾泻而下，周围的河水卷着急剧的旋涡奔腾向前，男孩立刻明白，在这里他是无法逃走的。他对雕以这种方式使他变成一个不讲信用的人而恼火。

老雕这时请求男孩，请他帮忙调解他与养母阿卡之间的关系。

男孩听到这些话，态度就缓和下来了。"我可以帮你，"他说，"但是我现在仍然受到诺言的制约。"这时他告诉高尔果，他和拉尔斯老人之间的约定。

"听我说，大拇指，"老雕说，"你想到哪里去，我就可以带你到哪里去；你想找什么，我都可以帮你找到。快告诉我，拉尔斯老人长什么样，我会设法找到他，把你送到他的身边，然后你说服他将你释放，不就万事大吉了吗？"

"太棒了！"男孩说。然后他非常详细地跟高尔果描绘了拉尔斯老人的模样。

"明天不等天黑你就可以跟那个老头儿商谈。"高尔果说。

果然，高尔果在第二天傍晚时分找到了拉尔斯老人，他给了男孩自由。

重　　逢

　　高尔果带着男孩继续往北飞，男孩因为太疲倦，在飞行的途中睡着了。等他醒来时，他已经躺在一条大峡谷里，他站起来，向周围看了看，这时他的目光落在了悬崖上一个用松树枝搭成的巨大鸟巢上。他知道了，这就是那只雕住的悬崖和大雁们住的山谷，他来到目的地了，他马上就会见到白雄鹅、阿卡和所有旅伴们。

　　男孩慢慢向前走着去寻找他的伙伴。整个山谷鸦雀无声，太阳还没有照到峭壁上，此时大雁们尚在休息，他没走多远就停下脚步，因为他看见了十分熟悉的场景。一只母雁睡在地上的一个小窝里，一只公雁站在她身边睡觉，他站得离母雁很近，以便于随时应付危险。

　　男孩没有打扰他们，继续往前走。他在小柳树丛里发现一个雁巢，又在灌木丛中看到一对熟悉的身影，原来是白雄鹅莫腾和灰雁丹芬。丹芬正在孵卵，白雄鹅站在她身边。尽管雄鹅睡着了，男孩仍能感觉到他在拉普兰的大山里守护着自己的妻子和孩子是多么幸福和自豪。

　　男孩不忍心把他们叫醒，于是又向前走。他走了很久，发现小丘上有一个像灰草一样的东西，是阿卡！她清醒地站在那里四下望着，好像在守卫着整个山谷。

　　"您好，阿卡老人家！您没有睡觉，这太好了！请您不要叫醒大家，我想和您单独谈谈。"

　　阿卡从小丘上飞奔下来，她用力抱住男孩，摇晃着他的肩膀，接着用嘴上下抚摸着他，可见她的心情是多么激动。

　　男孩吻了阿卡的双颊，然后开始讲述他掉进海里以后的经历。

　　"现在我想告诉您，狐狸斯密尔被人捉进公园，他总是愁眉苦脸地蹲在那里，渴望得到自由。有一次我听一只狗说，有人想到公园买狐狸，好消灭在一个岛上泛滥成灾的老

鼠。我把此事告诉斯密尔，让他在那人面前好好表现，好让人捉走他。他听了我的话，如今他在岛上自由奔跑。您看这件事我做得怎么样？"

"如果我是你，我也会这么做。"阿卡说。

"您能这么说，我真高兴。还有一件事，我不得不征求您的意见。一天，我看见高尔果被关在笼子里，他看上去很绝望。于是我就想锯断他笼子上的钢丝网，把他放走，你觉得我这样想对吗？是不是最好应该把他关在笼子里？"

"雕比其他动物都骄傲，都热爱自由，把他们关起来是不行的。我们现在就去大鸟笼那里，把高尔果救出来。"阿卡说。

"我早料到您会这样做。有人说，您已经不喜欢您花费心血抚养的雕了，现在看来并非如此。如果您想对把我送回来的那个人道谢，我想您会在悬崖上的雕巢里见到他。"

到南方去！到南方去！

十月一日 星期六

男孩骑在白雄鹅的背上，三十一只大雁整齐地排在一起，快速地向南飞着。领头雁还是老阿卡，后面跟着埃克希和卡克希、考尔美和奈尔雅、维斯和库斯、莫腾和丹芬。去年秋天跟随这个雁群一起飞行的六只小雁已经长大离开，独立生活了。老雁们带着今年夏天在峡谷里长大的二十二只小雁，排成"人"字形在空中飞。

这些小雁首次进行长距离飞行，他们对快速飞行感到非常吃力。

"阿卡，阿卡！"他们可怜地叫。

"什么事？"阿卡问。

"我们累得飞不动了！我们累得飞不动了！"小雁们叫着。

"你们飞得越远，越感到轻松。"领头雁回答，她一点儿也没放慢速度，继续往前飞。看来她说的一点儿也没错，小雁们飞了几个小时后再也不说累了，但是他们又有了新要求。

"阿卡，阿卡！"小雁们哀声叫道。

"又有什么事？"阿卡问。

"我们饿得飞不动了，我们饿得飞不动了！"小雁们叫着。

"咱们大雁要学会吃空气喝大风。"阿卡一刻也没有停留，继续往前飞。

小雁们似乎已经学会靠空气和风维持生命，他们飞了一会儿就不再抱怨肚子饿了。老雁们经过每座山峰都会告诉小雁它们的名字，没过多久，小雁们就不耐烦了。

"阿卡，阿卡！"他们烦躁地喊。

"什么事？"阿卡问。

"我们脑子里再也装不下更多的名字了！我们脑子里再也装不下更多的名字了！"小雁们叫着。

"你们脑子里记的名字越多，脑子就越好使。"阿卡回答，她还是像之前一样继续喊着各种奇怪的名字。

这个时候，骑在雄鹅背上的大拇指想的是终于可以离开寒冷的拉普兰，回南方去了。他们待在峡谷的最后几天，气候十分恶劣，大雨、风暴和云雾接踵而至，天气寒冷无比。现在又下了大雪，举目远眺，一片白茫茫的景象。

小雁们的翅膀终于长成，他们可以起程去南方了，男孩非常高兴。他盼望着回南方，不仅因为拉普兰这里黑暗寒冷、缺乏食物，还因为他很想重新过上人的生活。

其实初到这里的几个星期他一点儿也没有想离开的念头。当时他觉得，他从来没有到过这么美丽的地方。因为雄鹅一心守着丹芬，与她形影不离，男孩没有和他多接触，他一直和阿卡、高尔果在一起。那两只鸟多次带着男孩远距离飞行。男孩曾站在冰雪覆盖

的山巅，眺望过一望无垠的冰川，巡视过人迹罕至的高山，参观过地势隐蔽的山谷。他还和驯鹿交朋友，向狗熊亲切问候。可时间长了，他又觉得百无聊赖，所以他想离开了。

现在他们向南方飞去。他兴奋地挥动帽子，高声问候他看见的第一片杉树林、第一座拓荒者房屋、第一只山羊、第一只猫和第一群鸡。

他们不断遇到比春天的鸟群还要大的候鸟群。候鸟们喊："你们到哪里去？大雁！你们到哪里去？"

"我们和你们一样到外国去。"大雁们回答。

大雁们看到一群鹿，就低飞，喊道："谢谢今年夏天相处的日子，谢谢今年夏天相处的日子！"

"一路顺风，欢迎下次再来！"鹿们回答。

但是当狗熊看见大雁时，他们指着大雁对自己的孩子说："快看那些怕冷的鸟类，他们冬天都不敢待在家里。"

老雁们却对小雁们喊："快看下面那些懒家伙，他们宁愿躺在家里睡上半年也不肯花点儿力气到南方去！"

在下面的杉树林里，小松鸡缩着身子，冻得瑟瑟发抖。他们抬头看见候鸟群愉快地叫着向南飞去，他们问妈妈："什么时候轮到我们飞？什么时候轮到我们飞？"

"你们还是老老实实跟爸爸妈妈待在一起吧。"母松鸡回答。

大雁的礼物

十月七日　星期五

大雁们继续向南飞，飞过高山，飞过平原，飞过城市，飞过大海。

一天，大雁们在一个海岛上睡觉。快到午夜的时候，老阿卡赶走困倦，叫醒了几只老雁和大拇指。"出了什么事，阿卡？"大拇指惊慌地爬起来问。

"没有什么要紧的事，"阿卡说，"我们今夜要到海上去一趟，你愿意和我们一起去吗？"

男孩知道，如果没有什么要紧的事，阿卡绝不会有此举动。他二话不说，骑在阿卡背上。他们径直向西飞去，飞过岸边的一群大小岛屿，飞过一条宽阔的水带，最后降落在维达尔群岛中最小的一个石岛上。岛中间有一条很宽的裂缝，里面积满了被海水冲上来的贝壳和白色细沙。

当男孩从阿卡的背上滑下来时，他发现老雕高尔果也在石岛上。他刚才一动不动地站在那儿，远远看去就像一块黑色的大石头。

"这件事你办得很好，高尔果，"阿卡说，"你来这里很久了吗？"

"没什么可夸奖的，也许我做得很糟糕。"高尔果说。

"我相信你办得一定不错。"阿卡说，"但是在你讲述旅途中发生的事以前，我要大拇指帮我找到还埋藏在这个石岛上的一些东西。"

阿卡转头对男孩说："很多年以前，我们被狂风卷到了这个石岛上。狂风迫使我们在这个石岛上停留了好几天，我们饿得要命，四处找吃的，结果一根草也没找到，却在岛上的裂缝里发现了几个袋子，里面装满了金子。这些金子对我们大雁来说毫无用处，所以我们当时就把金子扔在那里走了。现在请你帮忙看看金子还在不在那里。"

男孩依照大雁的吩咐，跳进裂缝，扒开沙土，找出埋在沙土里的金子。

当男孩回到石头顶上去的时候，他惊奇地看见，阿卡率领其他几只大雁走到他面前，点头鞠躬，看上去很郑重，男孩不得不脱帽还礼。

　　"我们商量过了，这些金子都应该属于你，因为你多次帮助了我们，我们理应给你报酬。"阿卡说，"这样当你回家时，你的父母会觉得，你在尊贵的人家当放牛娃挣了钱。"

　　"不是我帮助了你们，而是你们照顾了我。而且我还想跟你们在一起，因为我听说，在我家里的精灵提出把我恢复人形的条件是让大雄鹅躺在屠宰凳上。我不要雄鹅死去，我宁可不变成人，一直和你们旅行。"男孩说。

　　"那么，我们可以听听高尔果是怎么说的。"阿卡平静地说。

　　"事情是这样。我找到了大拇指家里的小精灵，我告诉他我是受阿卡之托找他，看能否给尼尔斯更好的条件。他说'但愿能如此！因为我听说，他在旅行中表现不错，可是我无能为力。'我当场就火了，我警告他如果他不肯让步，我就不惜一切代价挖掉他的眼睛。他却说'随你的便吧，我还是坚持我的意见。不过请你转告尼尔斯，他家的日子很艰难，他应该赶快和他的鹅一起回家。他的父母欠了债，又借钱买了马，但不幸的是马的腿瘸了，成了一匹废物。他们不得已只好卖掉两头牛。如果再这样下去，他的父母就得被迫离开他们的家。'总之他们家的情况很糟糕！"

　　男孩听完老雕的话，皱起了眉头，拳头握得紧紧的。"这个精灵真是惨无人道。他订了如此苛刻的条件，使我不能回家去帮助爸爸妈妈。但是我决不会牺牲我忠实的朋友雄鹅的生命，来换取自己的幸福。我想如果爸爸妈妈知道这件事，也会赞成我的做法的。"

回　家

这一天大雾弥漫，大雁们在斯克洛普教堂附近的田野上吃饱喝足后，阿卡走到男孩身边。"看来最近几天天气变化不会很大。我想，我们将飞越波罗的海，到外国去。"

"噢！"男孩应了一声。他哽咽地说不出话，因为他很难过，他太想回家看一看父母了，也想回到斯康耐的时候能够重新变成人。

阿卡仿佛看透了男孩的心思，她接着说："我们现在离西威门豪格很近，你完全可以回家一趟，否则你要过很久才能见到你的父母。"

"我想还是不用回去了。"男孩说，不过阿卡还是听得出他很兴奋。

"放心吧，雄鹅和我们待在一起，你回家去看看吧，或许可以帮上你父母一点儿忙。"阿卡说。

"您说得对！"男孩激动不已。

转眼间，阿卡就带着尼尔斯回到了他的家。"我觉得这里一切还是老样子。"男孩爬到石头围墙上向四周观察，"好像从我今年春天坐在这里，看见你们从天空飞过来到现在，连一天工夫都不到。"

"你回家里好好看看吧，我先走了，明天咱们在海边见！"阿卡说。

"不，您先不要走！"男孩说着，忽然从围墙上下来了。他仿佛有一种预感，似乎他们再也不能见面一样。"阿卡老人家，您知道我因为不能恢复人形而感到苦恼，但是我可以保证，我对今年跟着你们旅行并不后悔。我情愿永远变不成人，也不能不去进行那次旅行。"

阿卡想了一会儿，郑重其事地说："有一件事我应该和你谈谈。如果说，你从我们身上学到了什么好的东西，那大概就是，你会认为人类不应独霸地球。我想，人类拥有那么多土地，完全可以留下几处光秃的石岛、几个浅水湖和泥泞的沼泽地、几座荒山和一些偏僻的森林，让我们这些一无所有的动物可以安稳地生活，不受驱赶和追捕。要是人类能知道，像我这样一只鸟也需要一个安身之地就好了。"

"我真希望能帮助您！但是我变不成人的话，恐怕也没有这个能力。"男孩不好意思地说。

"不要说这些了，就好像我们永远都不能再见面一样。"阿卡说，"无论如何我们明天会见面的，现在我要走了。"她张开翅膀飞走了，但是又飞回来，用嘴把大拇指从上到下抚摩了好几次，最后才离去。

大拇指慢慢走进院子。虽然是白天，但是院子里一个人也没有，他可以在院子里任意走动。他首先跑进了牛棚，那里气氛凄惨。春天的时候，那里有三头漂亮的母牛，现在只有一头牛孤零零地待在里面。

男孩毫不犹豫地跳进牛圈，"五月玫瑰，你好！我回来了，我的爸爸妈妈怎么样？星星和金百合在哪儿？"

五月玫瑰一听到男孩的声音，愣了。她看见面前站着的男孩虽然还像离开家时一样小，装束也是原来的样子，但是精神气质却有很大的变化。春天从家里逃走的尼尔斯脚步沉重，动作迟缓，声音无力，双目无神。但是现在的尼尔斯脚步轻快矫健，说话铿锵有力，目光炯炯有神。他人虽小，但有一种让人肃然起敬的神采。

"哞——欢迎你回来！他们都说你变了样，我还一直不相信呢。"五月玫瑰说，"只是恐怕你要为我下面说的话伤心了。你走了以后，你的父母一直过得不好。他们买的马瘸了一条腿，干不了活儿只会吃闲饭，可是又卖不掉。家里的日子越过越差，所以我的两个好伙伴才被卖掉了。"

男孩又问："妈妈发现雄鹅丢了，很不高兴吧？"

"可不是嘛，她一直抱怨儿子从家里逃走，还带走了雄鹅。她可不知道雄鹅是自己飞走的，他们一直为你生气难过。"

男孩听了这些话，心里很难受。他走出牛棚，进了马厩，他看到一匹高大的骏马站在那里。

"你好，我听说你的脚有毛病，我想你需要我的帮助。"

"你是主人的儿子吧，我听说过你被变成小人儿的事。不错，我的脚上扎进了一点儿硬东西，它扎得很深，藏得也严实，所以医生没有找到。我现在根本没办法走路，因为脚一动就钻心地疼。如果你设法告诉你的爸爸，我想他会很容易把我治好。我真想做点儿什么事，这比光吃不干活儿要好！"马说。

"原来是这样，你没得重病太好了。让我搬起你的蹄子，用我的刀子在上面划几下，好让爸爸把那个硬东西找出来。"男孩说。

尼尔斯刚把事情做完，就听见院子里有人说话，他把马厩的门拉开一条缝向外看，爸爸和妈妈刚从外面回来，他们看上去苍老了许多而且忧心忡忡。

妈妈边走边劝爸爸再去借点儿钱，但是爸爸不同意。他说："没有什么事比欠钱更让我难受，我不想再去借钱了，实在不行还是把房子卖了吧。"

妈妈说："要不是为了尼尔斯，我不会反对你卖房子的。可是咱们要想想尼尔斯，如果他哪天回来了，却发现咱们已经搬走了，他该怎么办。"男孩听了这话，心里既高兴又激动。这说明爸爸妈妈很爱他，即使以为他走上了邪路，还是那么想念他，盼着他回家。他真恨不得马上跑到他们身边，可是一想到自己现在的怪模样，他退缩了。

爸爸此时朝马厩走过来，男孩赶紧藏起来。爸爸像平时一样，搬起马蹄子看看能不能找到毛病。"这是怎么回事？"他的语气是那么惊讶。因为他看见马蹄子上刻着几个字，"拔出脚上的铁！"他念着这句话，惊奇地察看周围的情况。他没发现什么异常，就用手仔细摸着马蹄子，"嘿，里面还真有东西。"

正当爸爸从马蹄子里往外拔东西时有"客人"进了院子，是雄鹅莫腾、灰雁丹芬和他们生的小雁们。原来雄鹅抑制不了自己的思乡之情，带着妻子、孩子们回来了。

雄鹅领着丹芬和小雁们走进鹅窝，品尝食槽里的燕麦，突然，鹅窝的门"吱呀"一声关上了，女主人站在门外，把门上了锁，把他们关在了里面。

"孩子他爸，咱们的运气来了！"妈妈高声叫着爸爸，"咱们春天丢失的大雄鹅领着七只大雁回来了。他肯定是跟着大雁飞走的，再过几天就过马丁节了，咱们赶快宰掉他们，好拿到集市上去卖。"

"雄鹅领了这么多雁回来，我觉得宰掉他是一种罪恶。"爸爸说。

"可是我们可能也要搬走了，我们没法子再养鹅了。"

"那倒也是。"爸爸无可奈何地说。

过了不大一会儿，男孩看见爸爸一只胳膊下夹着莫腾，另一只胳膊下夹着丹芬，和妈妈一起进屋了。雄鹅大叫："大拇指，快来救救我！"尽管他不知道男孩就在附近，可还是像平时遇到危险时一样喊着。

男孩听到了雄鹅的呼救声，但还是站在马厩门口没动。他迟迟不动，不是因为雄鹅被宰掉对他自己有好处，而是因为如果他去救雄鹅，就得出现在父母面前，他不想让他们看见他的怪模样。

但是当他们把雄鹅带进屋里关上门时，男孩再也待不住了，他冲进院子里，跑进门廊，来到门口，他克服一切顾虑敲起门来。

"是谁？"爸爸问，他开了门。

"妈妈，您不能杀掉雄鹅！"男孩大喊，被捆在凳子上的雄鹅和丹芬立刻惊喜地尖叫起来。太好了，他们还活着。

在屋里惊喜地发出一声尖叫的还有一个人，那就是尼尔斯的妈妈。"哎呀，我的孩子，你终于回来了！你长大了，也漂亮了！"

男孩犹豫不决地站在门口，他真不明白，他那副怪模样为什么使爸爸妈妈那么高兴。妈妈走了过来，张开双臂紧紧抱着他，又把他拉进屋里。这时他才发现是怎么回事。

"爸爸，妈妈，我长大了，我又变成人了！"他兴奋地喊道。

向大雁告别

第二天早上天还没亮，男孩就起床了，他朝海边走去。

他是一个人去的，他到牛棚叫过雄鹅，但雄鹅不想离开家，还要睡觉。

天气真是晴朗，几乎和大雁们今年春天越过大海来到斯康耐的那一天一样好，海面上烟波浩渺，风平浪静。男孩不禁想大雁们真是挑了一个好日子出发去波罗的海旅行呀！

就在他站在海岸上陷入思索的时候，大雁们飞过来了，一大群又一大群，浩浩荡荡。男孩看着他们飞走，"但愿我的雁群不会跟我不辞而别！"他想，要是他们是他的雁群，他就要告诉他们，他变成了一个真正的人。

又一群大雁飞来了，他们飞得特别低，叫得特别响亮。这是男孩原来生活过的大雁群，男孩能感觉出来，虽然他怕自己认得不准。

这群大雁放慢了速度，沿着海岸线来回盘旋。男孩认准了这就是跟他朝夕相处的雁群，他想发出大雁们熟悉的叫声，可是他的舌头好像不听使唤，发不出那种声音。他也听见阿卡在叫，但是他听不懂她在说什么。"怎么回事呀，是大雁们改变了语言吗？"

他对着雁群挥动自己的帽子，沿着海岸线快速奔跑，边跑边喊，"我在这儿，我在这儿！"看来，他的喊声吓着了雁群，大雁们飞向高空，朝海上飞走了！

男孩明白了，大雁们不知道他已经变成了一个人，他们不认识他了！尽管他摆脱了魔法重新成为人，十分高兴，可是离开了最好的伙伴，又是多么令人伤心呀。他坐在沙滩上，两手捂住了脸，再盯着他们看又有什么用呢？

但不久他又听见了翅膀扇动的声音，原来老阿卡舍不得离开大拇指，又一次返回来，想看个究竟。现在，她看到男孩坐在那儿一动不动，就飞得近了一点儿，落在了离他很近的一个岬角上。

男孩喜出望外地喊着，跑过去把老阿卡搂在怀里，其他的大雁也围过来，伸出嘴抚摸他，在他身边挤来挤去。他们不停地叫着，似乎在向他表示衷心的祝贺。他也感谢这些大雁，是他们给了自己一个奇妙的旅行。

但是突然，大雁们都安静下来，然后纷纷后退。男孩抚摸着阿卡，轻轻地拍打她，然后他又抚摸了那些最初就和他在一起的老雁们。

他离开海岸向内陆走，因为他知道鸟类的悲伤是持续不了多久的。他想趁他们还在为失去他而伤心难过的时候离开。

他踏上堤岸的时候回头去看，大雁们终于挥动有力的翅膀，排着整齐的队列飞走了，消失在远方。

男孩无比留恋地目送大雁们远去，他似乎盼望着能再次变成一个叫大拇指的小人儿，跟随着大雁去旅行。